APRENDE A TOCAR
como los GRANDES GUITARRISTAS

APRENDE A TOCAR
como los GRANDES GUITARRISTAS

BLUES • ROCK • POP • FOLK • JAZZ

Charlotte Greig

LIBSA

© 2007, Editorial LIBSA
C/ San Rafael, 4
28108 Alcobendas. Madrid
Tel. (34) 91 657 25 80
Fax (34) 91 657 25 83
e-mail: libsa@libsa.es
www.libsa.es

ISBN-13: 978-662-84-1369-1
ISBN-10: 84-662-1369-4

Derechos exclusivos de edición para todos
los países de habla española.

Traducción: M.ª Jesús Sevillano

© MMV, Amber Book Ltd

Título original: *Learn to Play Like the Guitar Greats*

Relación de nomenclaturas

DO	RE	MI	FA	SOL	LA	SI	
C	D	E	F	G	A	B	Cifrado anglosajón

Contenido

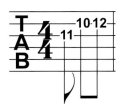

INTRODUCCIÓN

Durante el último medio siglo, un instrumento ha conseguido dominar la música popular: la guitarra. Tanto si se trata de la guitarra eléctrica, utilizada por leyendas del rock, como Jimmy Page y Kurt Cobain, y por los legendarios B. B. King y Stevie Ray Vaughan de la música blues; como si se trata de la guitarra acústica, rasgueada por artistas del folk, desde Woody Guthrie hasta Nick Drake, es el instrumento que define el sonido de nuestros tiempos.

DERECHA: *La guitarra acústica de cuerpo hueco sigue siendo un instrumento popular y práctico para estudiantes y profesionales de la guitarra.*

Tocar la guitarra es algo más que aprender acordes y notas: se trata de respetar la tradición y aprender de los maestros. Por consiguiente, en este libro nos hemos propuesto no sólo enseñarte el mecanismo de tocar la guitarra, sino introducirte también en la cultura más extensa de la interpretación con este instrumento.

Por primera vez, puedes aprender en un libro historias sobre la utilización de la guitarra en rock, blues, folk, jazz y country, y después descubrir la trayectoria y técnica musicales de los mejores punteadores (desde pioneros como Robert Ronson y Maybelle Carter, hasta héroes contemporáneos como Slash y Jack White) y a continuación seguir las instrucciones paso a paso que te ayudarán a tocar sus mejores riffs. Y, de paso, puedes llegar a conocer todo lo necesario sobre el instrumento y el equipo asociado, sabrás cuándo se fabricó la primera guitarra eléctrica o cuántos pedales podía incluir Dave Gilmour de Pink Floyd en una unidad de efectos.

IZQUIERDA: *La clásica Fender Stratocaster es un modelo eléctrico vinculado a una gran variedad de artistas de pop y rock, desde Hank Marvin hasta Jimi Hendrix.*

DERECHA: *Las guitarras semiacústicas como esta Washburn combinan las cualidades de las guitarras eléctricas y de las acústicas. Las eligen con frecuencia los artistas de country y de folk.*

GUITARRISTAS DE ROCK Y POP

Del mismo modo que la música rock evolucionó a partir de otras formas musicales que ya existían (especialmente de rhythm & blues y música country), la guitarra rock surgió de varias fuentes. Es posible que la influencia dominante haya sido la interpretación de blues con guitarra eléctrica, pero existen también claras influencias de la guitarra country y pop.

ABAJO: *Carlos Santana interpretando un riff de guitarra. Santana empezó con la guitarra a los ocho años y comenzó a tocar profesionalmente después de terminar la enseñanza secundaria.*

Aunque, sin duda alguna, la aparición de la guitarra rock está muy relacionada con la tecnología; el rock fue el primer estilo de música en el que se empleó la guitarra eléctrica, más que la acústica, como instrumento estándar. Las primeras guitarras eléctricas aparecieron ya en la década de 1920, pero hasta que T-Bone Walker no la adaptó al blues, a principios de la década de 1940, no empiezan a verse realmente las raíces de la guitarra rock. Walker y sus seguidores (intérpretes de blues como B. B. King, John Lee Hooker y Muddy Waters) empezaron a demostrar la impresionante potencia y volumen que podía ofrecer la guitarra eléctrica.

Mientras tanto, en el área de la música country, intérpretes como Merle Travis y Chet Atkins estaban creando un estilo eléctrico más melódico de punteo con los dedos. Durante la década de 1950 los dos estilos empiezan a acercarse poco a poco. Puedes escuchar ambos en la guitarra de Scotty Moore que acompañaba a Elvis Presley. Moore era un punteador de country que surgió de la escuela de Merle Travis, pero estaba grabando en el mismo estudio, Sun Studios, en el que habían trabajado muchos intérpretes de blues, y, sin ninguna duda, se transmitió su influencia.

Otro guitarrista «punteador» en el desarrollo de la guitarra rock fue Bo Diddley. Éste surgió de un entorno de rhythm & blues (R&B), pero sus adiciones idiosincrásicas de ritmo cubano y su espectacularidad, además de su facilidad para componer canciones de ritmo sencillo y pegadizo, influyeron enormemente en los roqueros que iban a llegar a continuación.

Después llegó Chuck Berry. Si hay un inventor único de guitarra de rock, ha de ser este hombre. Tomó el blues y el country y los fusionó en un estilo original, con aire retador y sencillo de modo engañoso que iba a proporcionar los cimientos para todo lo que iba a llegar después. Los primeros guitarristas de rock (desde Buddy Holly hasta Cliff Gallup o James Burton) fueron discípulos del gran Berry.

El furor del rock se había apagado considerablemente en Estados Unidos a finales de la década de 1950. Durante un tiempo dio la impresión de que la guitarra rock aparecía únicamente en grabaciones instrumentales (el siniestro «Rumble» de Link Wray, «Memphis» de Lonnie Mack, muchos discos de Duane Eddy) antes de que llegara la música surf a principios de los años 60, y los mismos Jan And Dean y Beach Boys acuden de nuevo a los riff de Chuck Berry.

BANDA SONORA DE UNA GENERACIÓN

Durante la mayor parte de la década siguiente, la guitarra rock (y la música rock en general) se encontraría dominada por músicos del otro lado del Atlántico. El rock'n'roll tuvo un enorme impacto en Reino Unido, y una generación de adolescentes empezó a aprender los riff, de Chuck Berry (entre ellos George Harrison, Keith Richards, Jimmy Page y Ritchie Blackmore). Todos comenzaron a tocar en bandas locales, como Chuck Berry, y a principios de la década de 1960, habían empezado a ser bastante buenos. También, poco a poco, empezaban a escribir su propio material.

Líderes en este campo fueron, por supuesto, los Beatles. Antes de los Beatles, el rock'n'roll y el teen pop ya se habían caracterizado por tener al frente a un chico atractivo, junto con los músicos en una posición secundaria. Los Beatles anunciaron la época de las bandas. Las bandas típicas constaban de cuatro o cinco miembros: vocalista, bajo y batería más uno o dos guitarristas. Rápidamente el papel del guitarrista empezó a rivalizar en importancia con el del cantante.

A pesar de su fama, no deben considerarse a los Beatles una banda de guitarristas. No obstante, las interpretaciones a la guitarra de John Lennon y, especialmente, de George Harrison, iban a tener una enorme influencia. La facilidad que tenía Harrison para los riffs pegadizos o una interesante frase de relleno inspiraron a miles de guitarristas que siguieron sus pasos.

La guitarra destacó aún más en las obras de los grandes rivales de los Beatles, los Rolling Stones. Las canciones propias de los Stones, como

ARRIBA: *Chuck Berry realiza su legendario «paso del pato» con la guitarra. Se dice que lo inventó en 1956 para ocultar con originalidad las arrugas de un traje de rayón.*

«Satisfaction» estaban conducidas por riff de guitarra, y muchos fans consideran a Keith Richards la verdadera alma del grupo.

Mientras Harrison y Richards intentaban combinar su pasión por el R&B y el blues con las demandas del pop, otros jóvenes guitarristas británicos estaban profundizando cada vez más en el blues. El primero que realmente consiguió ganarse un nombre fue Eric Clapton, aunque otros, como Peter Green, pronto le siguieron. El héroe guitarrista original, Clapton, se inspiró en intérpretes de blues americanos como Freddie King, y su virtuosidad con este instrumento le convertía en la estrella de cualquier banda a la que perteneciera. A medida que avanzaba la década de 1960 y el mercado empezaba a crecer, Clapton y sus seguidores pudieron alargar su interpretación y realizar solos durante tanto tiempo como quisieran. La interpretación de Clapton se inclinaba algunas veces hacia la autoindulgencia, era muy aplaudida por los músicos amigos suyos incluso más que por la masa de fans del pop. El siguiente gran guitarrista que surgió mostró que la brillantez técnica podía aliarse a la espectacularidad del rock'n'roll. Su nombre era Jimi Hendrix y su impacto en el modo de tocar rock con la guitarra no tiene rival. He aquí al hombre que comprendió que la guitarra eléctrica no era simplemente una guitarra acústica con pastilla, sino un instrumento por derecho propio con un extraordinario potencial sónico propio. Muy pronto otros guitarristas iban a explotar el nuevo territorio que había descubierto Hendrix. Jimmy Page, que antes había sido un versátil músico de sesión, formó Led Zeppelin y combinó una delicada interpretación derivada del folk con feroces incursiones eléctricas. Jeff Beck, considerado por muchos el guitarrista de rock clásico más dotado técnicamente, incorporó poco a poco influencias de jazz a sus interpretaciones. Otros, como Ritchie Blackmore de Deep Purple y Tony Lommi de Black Sabbath, optaron por un estilo simplificado conocido como heavy metal, en el cual el riff era el rey.

ARRIBA: *Jimmy Page unió sus fuerzas a las del cantante Robert Plant para crear riff legendarios como «Whole Lotta Love», y un favorito de siempre para los estudiantes de guitarra, «Stairway to Heaven».*

UNA NUEVA GENERACIÓN DE HÉROES DE LA GUITARRA

A finales de la década de 1960, los guitarristas americanos habían respondido de un modo convincente a la invasión británica. Jerry Garcia de The Grateful Dead creó un estilo de rock psicodélico que se inspiraba en la tradición del folk y del country. Duane Allman y Dickey Betts de los Allman Brothers llevaron influencias de soul y jazz al estilo de rock sureño. Johnny Winter, de Tejas, ofreció un ataque mordaz de blues, mientras que el californiano Carlos Santana fusionaba influencias latinoamericanas en su estilo melódico posterior a Hendrix.

A finales de la década de 1970, la música rock atraviesa un periodo de reevaluación. Los ídolos del rock de la década anterior se han ido haciendo cada vez más permisivos y surge el rock punk para llevar al rock, de nuevo, a su origen. La nueva generación de héroes de la guitarra rock que surgen en la década siguiente son, generalmente, guitarristas disciplinados, centrados, que comprenden las demandas de la canción. Entre estos guitarristas se encuentran el magnífico técnico de rock duro Eddie Van Halen, y el más limitado técnicamente, pero no por ello menos eficaz, The Edge de U2. Nile Rodgers demostró también que la guitarra tiene un lugar en el corazón del funk, mientras que Prince demostró que las fronteras entre el funk, el rock, el pop y lo psicodélico son todas imaginarias si no posees el nervio –y el talento– para cruzarlas.

Quizás el último héroe de la guitarra de finales de la década de los 80 fue Slash, de Guns N' Roses. Su riff para «Sweet Child O'Mine», junto con la apropiación del contoneo de rock'n'roll de Keith Richards, marcó parte de una última aclamación por el tradicional héroe de la guitarra.

Durante la década de 1990, el negocio de la música fue siendo cada vez más difuso. Ya no sería posible hablar de rock como entidad única. Ramas diferentes (punk, metal, nu-metal, country-rock, post-rock, y roots-rock) crecen unas al lado de las otras y los seguidores de cada una de ellas apenas son conscientes de la existencia de las demás. De este modo, también los estilos de guitarra rock se hacen más variados. En un extremo surge una nueva clase de «guitarrista de guitarrista»: músicos con un talento fenomenal como Steve Vai y Joe Satriani que tienen muchos seguidores entre los entusiastas de la guitarra y, sin embargo, son casi unos desconocidos para el público en general. En el otro extremo están los músicos del estilo de Kurt Cobain y Jack White de The White Stripes, quienes muestran con orgullo sus credenciales punk y desdeñan el esnobismo musical. Mientras tanto, guitarristas como Thurston Moore de Sonic Youth intentan por todos los medios llevar al límite la exploración sónica.

Con tan amplia variedad de estilos de guitarra para elegir hoy, se podría pensar que no hay nuevos

ABAJO: *Keith Richards de los Rolling Stones estudió el trabajo de los guitarristas de blues de los años 60 para desarrollar su distintivo estilo.*

territorios que explorar. No obstante, todos los aspirantes a guitarristas tienen que empezar eligiendo un estilo o estilos a imitar; luego, si tienen talento, crearán el suyo propio. Si lo consiguen, descubrirán que, incluso hoy, hay siempre espacio para ese elemento indefinible que produce el gran guitarrista: la originalidad.

SEGUNDO PLANO

El guitarrista de rock no siempre ha ocupado el centro de atención en el escenario. Principalmente la música pop y rock se basan en la canción, y algunos de los artistas preocupados por la forma son aquellos guitarristas que lamentarían que el público se distrajera con su interpretación, y quienes pondrían todo su talento al servicio de la expresión de la canción. Tal vez el mejor ejemplo de este tipo de músico es el guitarrista del grupo de pop y rock definitivo de todos los tiempos, los Beatles. Como guitarrista, George Harrison era el último miembro del grupo. Es posible que Lennon y McCartney hayan acaparado mayor atención, pero sin el apoyo de George no hubieran tenido tanto éxito. Una y otra vez, Harrison creaba entradas, frases de relleno, frases de punteo que enganchaban tanto como las canciones mismas. Él hacía la entrada a Lennon en «A Hard Day's Night» con un acorde G7SUS4 (Sol séptima suspendido cuarta), y durante ese proceso estaba creando una de las entradas más célebres del rock. Durante los años 1964 y 1965, Harrison dio rienda suelta a un riff tras otro con su Rickenbacker, desde las escalas descendentes de «Help» a la cautivante apertura de «Ticket to Ride». Es difícil imaginar estas canciones sin las secciones que George creó. Separa cualquiera de ellos de la pista, y la canción ya no sonará tan bien. Cuando el rock se tornó más agresivo en 1966, Harrison, una vez más, cambió de instrumento, adquiriendo una Gibson SG y anunciando su presencia con autoridad en «Paperback Writer» de McCartney, la cara A de sonido más duro de la colección de los Beatles. En *Revolver*, la naturaleza experimental de Harrison le llevó a otra nueva idea: tocar la guitarra con movimiento hacia atrás.

A pesar de que la distancia artística y personal entre Lennon y McCartney aumentaba en los últimos años, la guitarra de Harrison seguía trabajando y daba la impresión de que era un grupo unido. A partir de *Sargent Pepper*, la música estaba compuesta realmente por canciones de Lennon o por canciones de McCartney, pero George ayudó a mantener la cohesión porque había puesto su parte en cada una de ellas. A diferencia de la mayoría de los héroes de la guitarra, con mucha frecuencia no se iba a advertir la presencia de George Harrison, pero sí su interpretación.

EL ROCK CLÁSICO

¿Quieres tocar la guitarra? Bien, pues necesitarás una guitarra y un amplificador. Lo primero que has de recordar es que son necesarias estas

ARRIBA: *En términos generales, la guitarra eléctrica moderna ha cambiado poco respecto a las mejores guitarras de las décadas de 1950 y 1960, aunque la gama de efectos electrónicos auxiliares se ha extendido enormemente.*

dos adquisiciones. No todos los amplificadores suenan bien con una guitarra, y viceversa. Por tanto, empecemos primero por la guitarra.

Básicamente, hay tres tipos de la clásica guitarra de rock. Se encuentran la Gibson Les Paul y la SG, grandes guitarras de riff generalizadas entre los roqueros duros. Están Fender Stratocaster y Telecaster, famosas entre los intérpretes de blues, desde Jimi Hendrix a Stevie Ray Vaughan. Finalmente se encuentran la Rickenbacker y la Gretsch, corrientes en las bandas desde los Beatles hasta REM, quienes buscaban algo un poco más vibrante. Si no sabes en qué campo vas a entrar, prueba algunas de ellas; no existe una guitarra que se adapte al estilo de cada guitarrista.

El siguiente paso es elegir el amplificador apropiado para tu guitarra. Si deseas tocar rock clásico, entonces te interesará un amplificador tipo vintage. Hay tres tipos principales: Marshall, Fender y Vox. Lo que hace que estos amplificadores sean «vintage» es la ausencia de un preamplificador para generar overdrive o distorsión. Esto significa que para generar distorsión, o tienes que llegar al nivel 11, o mejor, utilizar un pedal de distorsión. La ventaja del amplificador vintage y del pedal, especialmente el directo, es que únicamente tienes que preocuparte del control de volumen.

Por tanto, ¿qué tipo de amplificador vintage vas a buscar? Bueno, merece la pena ver lo que ha funcionado en los grandes guitarristas. Las combinaciones de guitarra y amplificador para el rock'n'roll clásico son Gibson con amplificador Marshall, Fender con amplificador Fender y Rickenbacker o Gretsch con amplificador Vox (hay excepciones, por supuesto. Hendrix, por ejemplo, tocaba su Fender Strat con un amplificador Marshall). No des por hecho estos principios, sin embargo, ten presente que son combinaciones probadas y comprobadas.

La combinación de guitarra y amplificador vintage, con pedales de efectos según las necesidades, es la elección de la mayoría de los músicos. Es sencilla, relativamente barata y versátil. Sin embargo, si confías más en tu propio sonido, es posible que desees un amplificador de guitarra estilo moderno como el Mesa Boggie o Peavey Classic. Éstos ofrecen muchas más características que los vintage.

Si sabes el sonido que estás buscando, ¡fantástico!, pero resulta confuso para el principiante. Finalmente, se trata de ti y de tu oído (y de la paciencia del dependiente de tu tienda de música). Experimenta y disfruta.

ABAJO: Prince ha estado en la vanguardia de la guitarra funk, creando ese estilo, durante la década de 1980, con canciones como «When Doves Cry» y «Purple Rain».

BO DIDDLEY

1928-
BANDA: **ARTISTA EN SOLITARIO**
MAYOR FAMA: **DÉCADAS DE 1950 Y 1960**

Bo Diddley es uno de los guitarristas de rock más influyentes. No obstante, no vas a captar su estilo simplemente leyendo su música. Cuando se trata de Bo Diddley se trata de ritmo. Las dos canciones más famosas de este guitarrista: «Bo Diddley» y «Who Do You Love» presentan un solo acorde.

Bo Diddley nació en Mississippi el 30 de diciembre de 1928. La inspiración de convertirse en un artista de blues le llegó después de ver actuar a John Lee. A principios de la década de 1950, empezó a trabajar con Jerome Green y sus maracas, lo que proporcionó aún más ritmo a su música, y también firmó con Chess Records de Chicago. De su primer sencillo, titulado «Bo Diddley», surgió uno de los ritmos clave del rock'-n'roll, el que posteriormente emplearían Buddy Holly, los Rolling Stones y multitud de imitadores menos conocidos.

El extraordinario ritmo africano, pegadizo, se respaldaba en una interpretación a la guitarra igualmente admirable. Lo que Bo Diddley estaba haciendo respecto al empleo de agudos y del modo «overdriven» de un amplificador para crear un sonido distorsionado iba muchos años por delante de su tiempo, presagiando artistas como Jimi Hendrix. Los grandes éxitos posteriores de Bo Diddley, como «Who Do You Love» y «You Can't Judge a Book by the Cover» dejaron claro que Bo Diddley era capaz de hacer muchas más cosas. No obstante, siempre será recordado por ese extraordinario riff con ritmo que interpretaba con una guitarra cuadrada hecha de encargo que parecía y sonaba como si procediera del espacio exterior.

DERECHA: *El gran Bo Diddley posa con su guitarra hecha de encargo. Destacó tanto por su peculiar forma como por el distintivo sonido que se creaba con ella.*

RITMO AFRICANO – GOLPE DE TAMBOR EN LA GUITARRA

Bo Diddley es un excepcional creador de riff de un solo acorde sobre un ritmo del que pocos oyentes, allá en la década de 1950, se dieron cuenta realmente que procedía de África occidental. Hasta Bo Diddley se hubiera sorprendido al saberlo.

El ritmo había viajado con esclavos africanos hacia Cuba donde se conocía como la clave, el ritmo de la frase de bajo en la canción cubana unido a la rumba. También se le sigue la pista en la música de Nueva Orleáns, pues es la única ciudad americana en la que se permitió a los esclavos tener sus tambores, y posteriormente se abrió paso en la cultura afroamericana de la calle en forma del ritmo conocido como «hambone». Lo emplearon artistas de la calle, quienes representaban el golpe dando palmas y pequeños golpes en brazos, piernas, pecho y mejillas mientras cantaban rimas.

Es difícil saber cómo llegó Bo Diddley a ese ritmo exactamente. Él mismo afirma que con la lengua y tocando las mejillas, adquirió un sonido intentando tocar una canción vaquera de Gene Autry. Bo Diddley decidió tocar el ritmo con las seis cuerdas de la guitarra. Así, de repente, inventó un estilo de puro ritmo para la guitarra con el que consiguió darle protagonismo a este instrumento.

DERECHA: *Bo Diddley llevó ritmos africanos tradicionales al corazón de su música y los empleó para promocionar temas como «Bo Diddley».*

«Who Do You Love?»

DISCOS: *BO DIDDLEY; BO DIDDLEY'S A TWISTER; SUPER BLUES*
LETRA: **ELIAS MCDANIEL**
GRABACIÓN: **CHESS STUDIOS**
PRODUCTORES: **LEONARD CHESS, PHIL CHESS, BO DIDDLEY**

La alternancia entre los acordes Mi, La y Si es la base del «sonido Bo Diddley». Prueba a ensordecer el sonido de las cuerdas en el diapasón entre acorde y acorde, pero manteniendo aún el ritmo, utilizando la guitarra en modo de percusión. Crea más ritmo tocando el acorde completo en el golpe descendente, luego sujeta las cuerdas únicamente en el golpe ascendente. Practica el ritmo en un solo acorde, ensordeciendo y liberando las cuerdas. Cuando domines esta técnica mejorará tu interpretación del ritmo en general.

RIFF BÁSICO DE LA CANCIÓN

ASÍ ES COMO SE HACE

1 El acorde E (Mi) forma la base del riff y proporciona el pulso central para el ritmo. Ensordece y libera las cuerdas para dejar salir el sonido.

2 Coloca el segundo dedo sobre las cuatro primeras cuerdas del segundo traste. Finalmente, pisa todas las cuerdas al aire antes de volver al acorde E (Mi).

La clave se encuentra en mantener el ritmo fuerte. Practica ese inconfundible «sonido de arrastre» que se produce ensordeciendo o disminuyendo el sonido de las cuerdas.

KEITH RICHARDS

1943-
BANDA: **LOS ROLLING STONES**
MAYOR FAMA: **DÉCADA DE 1960-ACTUALIDAD**

Resulta fácil ver a Keith Richards con su peculiar *look* de guitarrista de rock: su pelo desaliñado, siempre con el cigarro en la boca, la botella de Jack Daniel's encaramada en el amplificador y su actitud de «con cualquier refresco me moriría». Sin embargo, aunque haya sido importante su imagen para el éxito, no debe ensombrecer el hecho de que es uno de los seis guitarristas más importantes de la música de todos los tiempos. Lo que destaca en él frente a sus rivales es que es un guitarrista rítmico esencialmente. No es que no toque solos, se trata de que la interpretación de su ritmo, produciendo un riff clásico tras otro, ha definido el papel de la guitarra en la banda del rock'n'roll.

Keith Richards nació el 18 de diciembre de 1943 en Dartford (Kent), a las afueras de Londres. Mientras estaba en la escuela de arte de Londres formó Los Rolling Stones con su amigo de la infancia, Mick Jagger. Al principio interpretaban R&B y blues, pero la banda dio el gran paso realmente con su original canción «Satisfaction», basada en un desmesurado riff retorcido y pegadizo de la guitarra de Richards.

A partir de este momento, los riff de guitarra marcarían las canciones de más éxito de los Stones: «Honky Tonk Women», «Jumping Jack Flash», «Brown Sugar», «Start Me Up» y otras. Con una engañosa sencillez, los riff debían realmente su constante atractivo al empleo sutil de afinaciones de blues que realizaba Richards (abierta en Sol y abierta en Mi) y la costumbre de quitar la cuerda superior de su Telecaster.

Con el paso de los años, los excesos en su forma de vida han mantenido a Richards en los titulares, pero es la complejidad de su interpretación la que le ha convertido en un auténtico modelo para las generaciones de guitarristas posteriores.

DERECHA: *Al principio Keith Richards actuaba con una guitarra acústica con los Rolling Stones. Ahora es más probable verle tocar sus Telecaster eléctricas.*

TELECASTER DE CINCO CUERDAS

En 1968, los Rolling Stones se encontraban en un momento decisivo de su carrera. Su ambicioso disco *Satanic Majesties* había sido un relativo fracaso y debían revitalizar su sonido. Keith Richards acudió al rescate con algunas afinaciones nuevas de guitarra y unos cuantos riffs rompedores, empezando por el de «Jumping Jack Flash».

Los guitarristas colegas estaban perplejos por el modo en el que él conseguía su característico sonido de zumbido en las cuerdas más graves. Parte de la respuesta se encontraba en las afinaciones, especialmente la afinación abierta en Sol. La otra parte se encontraba en su novedosa eliminación de la cuerda superior de sus guitarras, mientras tocaba con afinación abierta en Sol, y afinaba las demás cuerdas Re-Si-Sol-Re-Sol (de superior a inferior). Keith quedó tan satisfecho del resultado que empezó a utilizarlo constantemente, utilizó toda una gama de Fender Telecaster fabricadas con cinco cuerdas que datan de 1952 a 1954, con mástil de arce y golpeador negro. Tan encantado está Keith con estas guitarras que les da nombre propio. La guitarra más conocida de Richards es «Micawber». Tiene un puente de repuesto de metal y una cejuela para albergar cinco cuerdas. No hay un espacio uniforme en el diapasón, sino que la primera cuerda se ha movido un poco. Keith la utiliza en directo para tocar «Brown Sugar» y «Honky Tonk Women».

La otra Telecaster se llama «Malcolm». Las pastillas y moduladores son los mismos de Micawber pero esta Tele tiene la cejilla en el cuarto traste y está afinada en Si: Si-Fa#-Si-Re#-Fa#. Suena un poco más alto que Micawber y se puede oír en el escenario cuando interpretan «Tumbling Dice» y «Jumping Jack Flash».

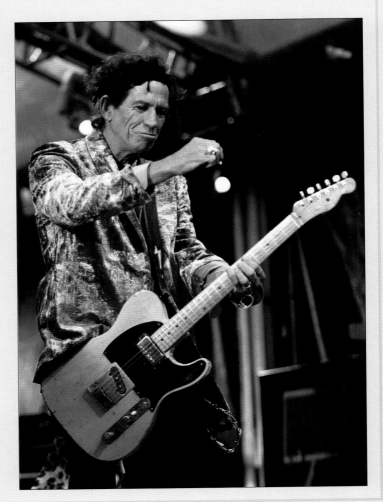

DERECHA: *Keith Richards siempre ha estado enamorado de la Telecaster. Ésta fue la primera guitarra eléctrica de cuerpo macizo de Fender, fabricada por primera vez en 1951.*

«Jumping Jack Flash»

DISCO: *HOT ROCKS*
LETRAS: MICK JAGGER, KEITH RICHARDS
GRABACIÓN: OLYMPIC SOUND STUDIOS, LONDRES
PRODUCTOR: JIMMY MILLER

Tiene uno de los riffs de guitarra más famosos de todos los tiempos. Combina algunas partes de notas dobles con notas simples en las cuerdas 5.ª y 4.ª. Las notas de la 5.ª cuerda se pueden tocar con la técnica del ligado ascendente (hammer on). Practica moviéndote entre las notas dobles y las notas simples del riff. Toca grandes golpes descendentes con tu púa para las notas dobles, después prepárate para tocar notas en las cuerdas 4.ª y 5.ª.

RIFF BÁSICO DE LA CANCIÓN

ASÍ ES COMO SE HACE

1 El primer dedo toca la nota Si en el 7.º traste de la 6.ª cuerda y los dedos anular y meñique pisan las cuerdas 5.ª y 4.ª.

2 En la 5.ª cuerda toca un ligado ascendente entre los trastes 7.º y 9.º. Practica repitiendo esta frase incluyendo la nota de la 4.ª cuerda.

3 Toca la nota La en la 4.ª cuerda con el índice. Se forma el resto de la frase cuando se toca a continuación del ligado ascendente.

AFINACIÓN ABIERTA EN SOL (OPEN G)

Keith Richards empezó a experimentar afinaciones diferentes en los años 1967 y 1968, mientras los Rolling Stones se tomaban un descanso después de las continuas giras de los primeros años. Keith empezó a estudiar a los primeros guitarristas de blues, entre ellos a Blind Willie McTell y Mississippi Fred McDowell. No obstante, la inspiración más especial provino de un joven guitarrista americano llamado Ry Cooder. Se pensó en él como posible sustituto de Brian Jones y colaboró en el disco de los Stones *Let it Bleed*, pero su contribución más importante fue enseñar a Richards la afinación abierta en Sol. Esto suponía reafinar la guitarra a Re-Sol-Re-Si-Sol. Keith perfeccionó la afinación eliminado la 4.ª cuerda por completo para dejar cinco cuerdas afinadas Sol-Re-Sol-Si-Sol. El resultado fue una fórmula que él resumió de un modo conciso: «cinco cuerdas, tres notas, dos dedos y un agujero, y ya lo tienes».

Por supuesto, aunque Keith tiene razón al señalar que la afinación abierta en Sol posee cierta simplicidad, el auténtico reto es convertir esa simplicidad en partes memorables de la guitarra (algo que él ha logrado una y otra vez). La afinación abierta en Sol no sólo aparece en «Honky Tonk Women», la primera canción de los Stones que empleó la afinación, sino también en otras, como en «Tumblin'Dice» y «Start Me Up».

IZQUIERDA: *Un irreconocible Keith Richards aparecía así de joven en un programa de televisión a principios de la década de 1960.*

«Brown Sugar»

DISCO: *STICKY FINGERS*
LETRAS: MICK JAGGER, KEITH RICHARDS
GRABACIÓN: OLYMPIC STUDIOS, LONDRES
PRODUCTOR: JIMMY MILLER

Es un gran riff de apertura para una gran canción de rock. Keith Richards utiliza muchas afinaciones abiertas y para este riff es necesario que la guitarra se reafine en Re-Sol-Re-Sol-Si-Sol. La tablatura muestra los primeros acordes de la introducción. Los acordes se tocan en la parte alta del mástil, por tanto practica la posición de los dedos. Experimenta otras afinaciones abiertas. Utiliza siempre un afinador de guitarra, ya que es muy probable que se rompan las cuerdas cuando se desafinen.

RIFF BÁSICO DE LA CANCIÓN

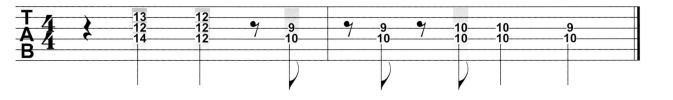

ASÍ ES COMO SE HACE

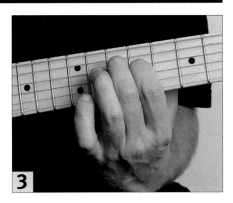

1 El dedo índice pisa el 12.º traste de la 3.ª cuerda, el dedo medio pisa la 2.ª cuerda y el anular pisa la 4.ª cuerda.

2 Aquí se coloca el dedo índice sobre las cuerdas 4.ª, 3.ª y 2.ª en el 12.º traste. Intenta pisar solamente las cuerdas de este traste.

3 El dedo índice se coloca en el 9.º traste de la 4.ª cuerda y el dedo medio pisa ahora el 10.º traste de la 4.ª cuerda.

4 Añade simplemente el dedo anular al 10.º traste sobre la 3.ª cuerda y mantén el dedo medio donde se encontraba.

¿SOLOS O RITMOS?

Las estrellas de la guitarra casi siempre tocan la melodía principal. Son los solos de guitarra los que te permiten demostrar tu rapidez y destreza. Por otro lado, los intérpretes del ritmo son generalmente los chicos que, trabajando duro en un segundo plano, sientan la base para el solo de la estrella. Keith Richards lo sabe tan bien como cualquiera, pero, simplemente, no le importa. Como decía de él mismo: «No me preocupan lo que hagan B. B. King, Eric Clapton y Mick Taylor; yo sé que ellos no pueden hacer lo que yo hago. Ellos pueden tocar tantas notas como existan bajo el sol, pero no pueden mantener ese ritmo, hijo. Yo sé lo que puedo hacer y lo que no puedo. Todo lo que hago se basa en el ritmo fundamentalmente porque es lo que mejor se me da. He intentado ser un gran guitarrista y, como Chuck Berry, he fracasado».

ARRIBA: *Keith Richards continúa actuando con los Stones años después de haberse formado el grupo, y no muestra señal alguna de haber perdido su amor por la guitarra eléctrica.*

Por supuesto, la gracia de estas palabras se encuentra en que entre ellos, Berry y Richards, se han definido más o menos como guitarristas de rock'n'roll. Después de todo, la esencia de la música, no trata de solos rápidos o de complejas estructuras de acordes derivadas del jazz, su auténtica base es el extraordinario riff. Las figuras de la guitarra de rock'n'roll necesitan fijar el ritmo de una canción y al mismo tiempo tener un componente melódico que les haga memorables al instante. Chuck Berry lo hizo con «Johnny B. Goode» Richards lo hizo con «Satisfaction», «Brown Sugar» y todas las demás. A veces es útil recordar que un gran intérprete de solos que toca en solitario es un hombre del espectáculo, mientras que un gran intérprete de ritmo es la encarnación del rock'n'roll.

«Satisfaction»

DISCO: *GRANDES ÉXITOS (HIGH TIDE AND GREEN GRASS); OUT OF OUR HEADS*
LETRAS: MICK JAGGER, KEITH RICHARDS
GRABACIÓN: RCA STUDIOS, HOLLYWOOD (CALIFORNIA)
PRODUCTOR: ANDREW LOOG OLDHAM

Éste es uno de los riffs clásicos de los Stones tocado en la 5.ª cuerda. Emplea notas sólidas para crear ese enérgico sonido de rock. Deberás poner el dedo índice en la nota Si de la 5.ª cuerda, mientras que el dedo medio y el anular se encontrarán en los trastes 4.º y 5.º. Practica golpes ascendentes y descendentes con la púa en las notas del 5.º traste para dar rapidez.

RIFF BÁSICO DE LA CANCIÓN

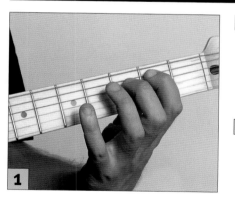

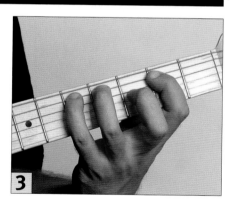

ASÍ ES COMO SE HACE

1 El riff comienza con el dedo índice en la nota Si, emplea golpes descendentes aquí para conseguir un buen ritmo constante.

2 El dedo anular quedaría a la espera de tocar Do# en el 4.º traste de la 5.ª cuerda. Prepara la posición del dedo meñique.

3 El dedo meñique toca esta nota Re (practica golpes ascendentes y descendentes con la púa en estas notas Re del 5.º traste).

RETRASAR EL RITMO

Crucial en el proceso de cambio de los Rolling Stones, en el que pasaron de ser unos muchachos ingleses que hacían todo lo posible por imitar el blues negro americano a crear su propio sonido característico, se encuentra la determinación de Keith Richards de profundizar en los cimientos del blues. Se dio cuenta de que para tocar blues realmente no sólo había que tocar las notas adecuadas, sino también las notas que no se tocaban y, de un modo crucial, se trataba de ritmo y de coordinación.

La mayoría de las bandas de blues de blancos competían por mantenerse en el tiempo rítmico, pero Richards observó a Muddy Waters y absorbió el modo en el Waters cantaba y tocaba retrasando el ritmo deliberadamente, dando a su música un cierto aire de relajación. Esto fue lo que decidió Richards que incorporaría a los Rolling Stones junto con la colaboración de Ronnie Word durante más de 20 años. A veces esa relajación puede llegar al desgarbo, pero escuchando atentamente la guitarra de Richards, especialmente, en las grabaciones en directo, comprobarás el modo en el que, deliberadamente, retrasa el ritmo durante el curso de la canción, dejando que los ritmos sean cambiantes y vivos. Se aconseja, por supuesto, el dominio de la guitarra antes de empezar a experimentar esta técnica.

IZQUIERDA: *Por confesión suya, Richards es más guitarrista rítmico que solista, aunque siente debilidad por las melodías orientadas hacia el blues.*

«Start Me Up»

DISCO: *TATTOO YOU*
LETRAS: MICK JAGGER, KEITH RICHARDS
GRABACIÓN: COMPASS POINT STUDIOS, NASSAU
PRODUCTORES: MICK JAGGER, KEITH RICHARDS

Esta canción está en afinación abierta en Sol (open G). Recuerda que Keith Richards siempre toca suprimiendo la 6.ª cuerda, por tanto, para conseguir ese auténtico sonido de los Stones, tendrás que hacer lo mismo. La afinación es igual que la de «Brown Sugar». Golpea con fuerza estos acordes para conseguir un sonido enérgico de rock. Varía tu técnica de rasgueo (strumming) con la púa y experimenta diferentes ritmos en estos grandes acordes de afinación abierta.

RIFF BÁSICO DE LA CANCIÓN

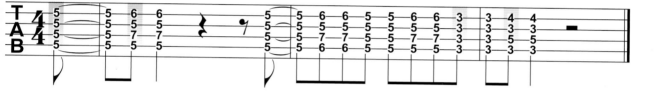

ASÍ ES COMO SE HACE

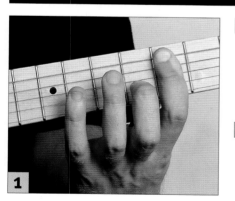

1 Podemos utilizar sólo el dedo índice para pisar las cuerdas 3.ª, 4.ª, 3.ª y 2.ª en el 5.º traste. Ahora prepara los dedos medio y anular para el siguiente acorde.

2 Pisa todas las cuerdas en el 5.º traste, coloca el dedo medio en el 6.º traste de la 2.ª cuerda y el anular tocará la 4.ª cuerda.

3 Utiliza el dedo índice, esta vez en el traste 3.º pisando cuatro cuerdas: 3.ª, 4.ª, 3.ª y 2.ª. Asegúrate de colocar el dedo en el centro del traste para conseguir un sonido limpio.

4 Es el mismo patrón dos trastes más atrás. Utiliza el dedo índice para los tres trastes y prepara los dedos medio y anular para pisar las cuerdas 4.ª y 2.ª.

DAVE DAVIES

1947-
BANDA: THE KINKS
MAYOR FAMA: DÉCADA DE 1960

A The Kinks, quizás la banda más singular de todas las bandas británicas de la década de 1960, se la recuerda por dos razones muy diferentes: una de ellas son las letras singulares, típicamente inglesas, de Ray Davies. La otra son los fuertes riffs de guitarra del hermano más joven, Dave, cuya influencia fue primordial. Muchos críticos creen que el riff de guitarra de Dave Davies en el primer éxito de la banda «You Really Got Me» sirvió de modelo para lo que más tarde se convertiría en heavy metal.

DERECHA: *Dave Davies actuando con The Kinks en el programa de la televisión británica* Supersonic *en marzo de 1977. Con su hermano autor de las letras, Ray, Dave creó algunos de los riff de pop más memorables de la década de 1960.*

Dave Davies nació en Muswell Hill, Londres, el 3 de febrero de 1947, tres años después de su hermano Ray. En su adolescencia, los hermanos formaron un grupo de rock'n'roll con un compañero de clase de Ray, Peter Quaife, al bajo. Ya en el verano de 1963, el grupo había decidido llamarse los Ravens y habían reclutado a un nuevo batería, Mickey Willet. Finalmente, su maqueta llegó a Shel Talmy, un productor americano, que les ayudó a firmar un contrato con Pye en 1964. Antes de firmar, los Ravens sustituyeron a Willet por Mick Avory y cambiaron su nombre por el de The Kinks. Sus dos primeros sencillos fueron un fracaso, pero su tercer lanzamiento, «You Really Got Me», logró ser número uno un mes después de su salida. Era el primer éxito británico creado sobre un sencillo riff de guitarra. El siguiente, «All Day and All of the Night», fue número dos en las listas.

Las giras sin descanso provocaron tensión en la banda y Dave empezó a lanzar sencillos en solitario. Mientras tanto, su hermano Ray empezó a cambiar el rock directo por canciones más inusuales como «Sunny afternoon», «Waterloo Sunset» «Autumn Almanac» y «Lola». Todos fueron grandes éxitos pero, a principios de la década de 1970, la estrella de la banda estaba en decadencia. Poco a poco The Kinks fueron cambiando el sonido al de un rock más duro con la guitarra de Dave una vez más al frente, y actuaron en directo en América a finales de la década de 1970 y principios de 1980.

The Kinks fueron admitidos en el Pasillo de la Fama del Rock'n'Roll en 1990, pero se separaron poco tiempo después.

EL PRODIGIOSO RIFF ORIGINAL

Ray Davies escribió «You Really Got Me» en la sala de estar de la casa de sus padres, con la ayuda de Dave. Ray interpretó primero el riff en el piano. Dave probaba con su guitarra, y Ray cambió el tono un par de veces. Ray quería que la canción atrajera la atención y que el riff fuera tan sencillo y repetitivo como fuera posible, «como un canto tribal africano», dijo en cierta ocasión. La influencia más obvia es el clásico de Kingsmen «Louie Louie», al que The Kinks solían imitar.

Seleccionaron la canción para que fuera el tercer sencillo del grupo, tanto si ello significaba su fortuna como su ruina. La grabación fue un acontecimiento precipitado, malhumorado, con fuertes altibajos y un auténtico y extraordinario sonido de guitarra: confuso, distorsionado y absolutamente primitivo. Ocurrió cinco años antes que el heavy metal y 12 años antes que el punk, pero Dave Davies había anticipado ambos movimientos en dos minutos de revolución del pop. En los años posteriores los escépticos, muy a su pesar, declararían que Jimmy Page tocaba realmente la guitarra en la canción (como lo hizo en tantos éxitos del pop en la década de 1960), pero es difícil creer que un artista como Page pudiera haber logrado alguna vez algo tan gloriosamente mudo y a la vez absolutamente perfecto como los dos prodigiosos acordes de «You Really Got Me».

IZQUIERDA: *Dave Davies, con una desenfadada peluca, a finales de la década de 1970. A pesar de la suerte cambiante de The Kinks como grupo, sus inolvidables riffs han seguido siendo famosos. «You Really Got Me» ha sido imitado por artistas muy diferentes, entre ellos Iggy Pop y Van Halen.*

«You Really Got Me»

DISCO: *KINKS*
LETRA: **RAY DAVIES**
GRABACIÓN: **IBC STUDIOS, LONDRES**
PRODUCTOR: **SHEL TALMY**

Esta gran canción de Ray Davies emplea acordes de 5.ª para mantener la línea vocal. Deberás practicar el ritmo rasgueando con la mano para conseguirlo. Toca los acordes con firmeza en el golpe descendente y canta el verso mientras tocas para practicar la coordinación. Concéntrate en conseguir un buen golpe limpio cuando pulses todas las cuerdas. Escucha la grabación para comprobar el ritmo.

RIFF BÁSICO DE LA CANCIÓN

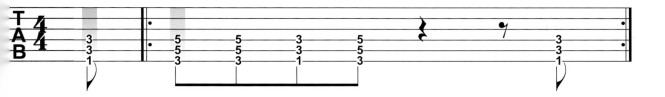

ASÍ ES COMO SE HACE

1 Esta fotografía muestra el dedo índice pulsando la nota Fa en la 6.ª cuerda. Los dedos medio y meñique oprimen las cuerdas 5.ª y 4.ª.

2 Es la misma postura variando tres trastes, hacia el 3.º y el 5.º. Practica mantener esta postura mientras te mueves por el diapasón.

ELPICO: EL AMPLIFICADOR VERDE

Elpico era un amplificador pequeño, verde, de 8-10 vatios que Dave Davies encontró en una tienda de repuestos de radio en Muswell Hill, en 1962. Por entonces él había decidido conseguir un sonido de guitarra más distorsionado, menos limpio, que el que podía conseguir con su AC30, pero no se podía permitir el lujo de tener un Watkins Dominator, una famosa alternativa en esa época. Así que compró el pequeño amplificador verde y se fue a casa para empezar a experimentar.

El Elpico producía el sonido distorsionado y malo que a él le gustaba, pero no daba el volumen suficiente. Su primer experimento fue conectar la guitarra al Elpico, éste a un amplificador hi-fi, que a su vez estaba conectado a un radiograma, que finalmente se enchufaba a su Vox AC30. Tan pronto como lo conectó, se produjo una sobrecarga eléctrica que envió a Davies al otro lado de la habitación. Estaba claro que había demasiadas cosas. Simplificó el material, y enchufó sencillamente el Elpico al Vox AC30. Había casi tanto zumbido del amplificador más grande como señal en el más pequeño, pero se estaba consiguiendo el sonido. No satisfecho todavía, su siguiente experimento fue cortar con una cuchilla el cono del altavoz. Cuando vibraba producía un sonido distorsionado espantoso. Según su hermano Ray Davies, Dave también clavaba agujas de hacer punto en el altavoz. Sea como fuera, lo que es cierto es que había nacido un nuevo sonido. Dave Davies empezó a utilizar este aparato poco ortodoxo en el escenario, y cuando llegó la hora de grabar «You Really Got Me», no había duda de que él lo utilizaría...

DERECHA: *The Kinks actuando en directo en Estados Unidos a principios de la década de 1980.*

«All Day and All of the Night»

DISCO: *KINDA KINKS*
LETRA: RAY DAVIES
GRABACIÓN: IBC STUDIOS, LONDRES
PRODUCTOR: SHEL TALMY

Es una gran melodía de The Kinks con un sonido de guitarra que no hubiera sonado fuera de lugar en algunas de las bandas de punk que surgieron 10 ó 12 años más tarde. De nuevo, golpea los acordes con fuerza, pero practica para conseguir el ritmo apropiado. Estas posturas se mueven por el diapasón de un modo un poco libre, por tanto, practica el movimiento entre cada postura con rapidez y precisión.

RIFF BÁSICO DE LA CANCIÓN

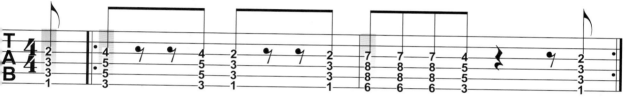

ASÍ ES COMO SE HACE

1 El dedo índice está sobre la nota Fa en la 6.ª cuerda, los dedos anular y meñique pisan las cuerdas 5.ª y 4.ª, el dedo medio pisa la 3.ª cuerda.

2 La misma postura dos trastes más arriba, las posiciones de los dedos son exactamente las mismas, con el dedo índice empezando en la nota Sol de la 6.ª cuerda.

3 Aquí la tablatura muestra la misma postura de acorde en el 6.º traste, mantén estas posturas con firmeza y practica hacer slides por el mástil hacia arriba y hacia abajo.

LAS GUITARRAS DE DAVE DAVIES

Algunos guitarristas se quedan con el mismo instrumento, más o menos, durante toda su carrera. Otros realizan un cambio decisivo, como cuando Eric Clapton abandonó la Gibson Les Paul por preferir la Fender Stratocaster. Dave Davies, de un modo inusual, parece ser un hombre deseoso y dispuesto a tocar cualquier cosa que caiga en sus manos. Aquí presentamos solo algunas de las guitarras con las que se le ha asociado.

La guitarra con la que tocaba «You Really Got Me» fue la primera guitarra eléctrica que tuvo, una Harmony Meteor de 1962. La siguiente guitarra fue una Epiphone de 1964 que utilizó en sus primeras giras con los Hollies y los Dave Clark Five, y también en el disco *Kinda Kinks*. Después tuvo una Fender Electric XII, que usó en «I'm Not Like Everybody Else». También utilizó una Guild de encargo en varios de sus primeros éxitos, pero cuando se perdió camino de Estados Unidos, fue a la casa de empeños más cercana y compró una Gibson Flying V. No le resultó demasiado fácil tocarla, pero la utilizó en el programa de televisión *Shindig* porque pensaba que parecía ¡un fenómeno!

A finales de la década de 1960 Davies pasó, como muchos otros, a la Fender Stratocaster, que utilizó mucho durante el período de *Everybody's in Showbiz* y *Preservation* (1972-1974). Más o menos en la misma época tocó también con una Telecaster de 1952, que posteriormente sustituyó por una Fender Elite Telecaster de 1983. No obstante, entre ellas, solía utilizar una Gibson Les Paul «Gold Top» de 1960.

En una época más reciente Davies ha vuelto a la Fender y normalmente toca con una resplandeciente Telecaster de 1994 para sus trabajos con guitarra eléctrica y un par de guitarras diferentes Ovation (una Custom Legend y una Custom Balladeer) para sus trabajos acústicos.

IZQUIERDA: *The Kinks en el programa* Shindig *de la BBC en 1965. Dave Davies (izquierda) parece un poco incómodo tocando la Gibson Flying V que había adquirido, recientemente, en una casa de empeños local.*

«Tired of Waiting for You»

DISCO: *KINDA KINKS*
LETRA: RAY DAVIES
GRABACIÓN: IBC STUDIOS, LONDRES
PRODUCTOR: SHEL TALMY

Es el tono más lento de The Kinks con una maravillosa melodía. La tablatura muestra el arpegio interpretado por Ray con complementos de acordes de rock tocados por Dave. Los acordes que van con el arpegio son G y F (Sol y Fa). Intenta tocar con otro guitarrista para lograr un total efecto. Practica el punteo de los arpegios en otros riffs para variar tu estilo de interpretación, luego pasa entre los acordes de rasgueo y puntea la misma canción.

RIFF BÁSICO DE LA CANCIÓN

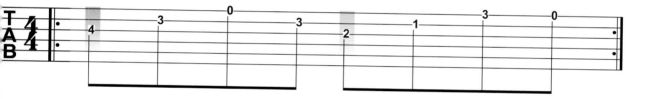

ASÍ ES COMO SE HACE

1 La fotografía muestra el dedo índice pisando la 2.ª cuerda y el dedo medio tocando la 3.ª cuerda. Puedes intentar puntear con el dedo, sin utilizar la púa.

2 Para esta parte, los dos primeros dedos se deslizan dos trastes más atrás. Emplea el dedo meñique para pisar el traste 3.º de la 3.ª cuerda.

JIMI HENDRIX

1942-1970
BANDA: **THE JIMI HENDRIX EXPERIENCE**
MAYOR FAMA: **DÉCADAS DE 1960 Y 1970**

Igual que Elvis Presley es el rey del rock'n'roll, Jimi Hendrix es el rey de la guitarra eléctrica. Otros muchos guitarristas han seguido sus pasos, pero nunca lograrán su originalidad. Fue el primer músico que comprendió plenamente la repercusión de la electricidad en una guitarra. Igual que tocaba las cuerdas, empleaba efectos, volumen y feedback (acople de la guitarra con el amplificador) de un modo que nadie había probado antes. Casi todos han copiado elementos del sonido de Hendrix.

DERECHA: *Hendrix elevó el estatus del guitarrista de guitarra eléctrica, promocionando el instrumento por medio de sorprendentes riffs combinados con un auténtico talento para el espectáculo.*

Hendrix nació el 27 de noviembre de 1942 en Seattle (Washington). Cuando tenía 16 años su padre Al le dio un ukulele, y más tarde le compró una guitarra acústica. Estaba claro que poseía un gran talento, empezó a tocar la guitarra para Curtis Knight, Little Richard y The Isley Brothers. En 1966 tenía su propia banda, Jimmy James y los Blue Flames, en la ciudad de Nueva York. Allí fue descubierto por Chas Chandler, quien le llevó a Reino Unido y le ayudó a formar una nueva banda, The Jimi Hendrix Experience.

Sus tres primeros sencillos: el incendiario «Hey Joe», «Purple Haze» y «The Wind Cries Mary» fueron todos ellos éxitos Top 10, al igual que lo fue su primer disco *Are You Experienced?* De repente, Hendrix era una gran estrella. Actuó en dos de los festivales más importantes de la década de 1960, Monterrey Pop y Woodstock. Monterrey mostró su costumbre de quemar y romper su guitarra, mientras que en Woodstock interpretó una inolvidable versión instrumental de «The Star Spangled Banner». Nadie antes había oído tocar así la guitarra. Resulta bastante interesante que el sonido de Jimi se lograra con un equipo tan básico. Conectaba simplemente una Fender Stratocaster a un pedal wah wah, a un Fuzz Face, a un Uni Vibe, o en alguna ocasión, a un Octavia y amplificaba por medio de un Marshall.

Después de su tercer álbum, *Electric Ladyland,* Hendrix disolvió Experience y formó un nuevo grupo, Band of Gypsies, con el fin de guiar su música en una dirección más parecida al jazz. Sin embargo, apenas pudo

darse cuenta de esa nueva dirección porque murió ahogado por su propio vómito después de haber tomado somníferos el 18 de septiembre de 1970.

AMPLIFICADORES MARSHALL

El estilo del guitarrista Jimi Hendrix, el volumen que empleaba y su pirotecnia sobre el escenario, exigían amplificadores potentes. Al principio utilizó amplificadores Vox y Fender, pero no le gustaban. Entonces descubrió una nueva gama muy potente que estaba fabricando un ingeniero de sonido londinense,

Jim Marshall, y que utilizaban The Who. Su Marshall le ayudaba a dar forma a su exceso de sonido y, sobre todo, le brindaba la oportunidad de utilizar el feedback como efecto musical. Por supuesto, la influencia de Jimi significó que pronto el amplificador Marshall iba a ser el único utilizado por cualquier nueva banda de rock. Jim Marshall, antiguo batería, abrió su propia tienda de música en 1960. Sus clientes pronto pidieron amplificadores más potentes, así que Marshall empezó a fabricarlos él mismo, después de haberle pedido ayuda a Ken Bran. Fabricaron

PIROTECNIA

Una parte esencial de lo que convirtió a Jimi Hendrix en estrella permanente fue su talento para el espectáculo. Antes de Hendrix, los guitarristas héroes del rock eran en su mayoría individuos con estudios de música, como Eric Clapton, cuya idea de la espectacularidad era cerrar los ojos durante la interpretación de un solo. Hendrix procedía de un mundo diferente, del mundo del soul y del blues, donde se esperaba que los artistas actuaran.

Por tanto, la audiencia británica no salía de su asombro cuando Hendrix realizaba trucos como el de tocar la guitarra con los dientes o tocarla por detrás de la cabeza. Cuando la colocaba sobre el fuego,

apenas podían creer lo que veían sus ojos. He aquí no sólo a otro muchacho que sabía tocar bien la guitarra, sino a un animador hecho y derecho.

Este talento para el espectáculo pronto se manifestó en la interpretación de Henrix, con su extravagante uso de efectos que hacían que sonara la guitarra del modo más curioso, nunca oído antes. Fue un modo de tocar que alcanzó su apoteosis en el clásico metraje de Woodstock en el que Hendrix tocaba «The Star Spangled Banner». Aquí Hendrix empleó toda la gama de pedales de efectos: Univibe, Octavia, CryBaby y Fuzz Face, más un copioso feedback, primero uno después de otro y después todos juntos, para crear una extraordinaria serie de sonidos que evocaban los sonidos de la guerra de Vietman, como el fuego de los cañones y la caída de bombas. Hendrix demostró aquí que la espectacularidad y la pirotecnia no eran distracciones triviales, sino partes vitales de las armas de un guitarrista.

IZQUIERDA: *Hendrix llevó al límite más absoluto la interpretación realizada con una guitarra, tanto en lo que se refiere a la calidad tonal como a la experimentación melódica, utilizando siempre sus Stratocaster para zurdos.*

«Hey Joe»

DISCO: *ARE YOU EXPERIENCED*
LETRA: **BILLY ROBERTS**
GRABACIÓN: **OLYMPIC STUDIOS, LONDRES**
PRODUCTOR: **CHAS CHANDLER**

Ésta es la parte de la canción en la que la guitarra y el bajo tocan una escala ascendente. Viene justo a continuación del solo principal de Hendrix. Utiliza los tres primeros dedos y toca grandes notas pesadas. Escuchar la grabación te ayudará a mejorar la coordinación en esta sección. Aprovecha esta canción para practicar riffs ascendentes en las cuerdas graves de tu guitarra. Intenta tocar con la banda.

RIFF BÁSICO DE LA CANCIÓN

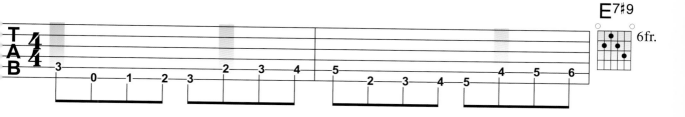

$E^{7\sharp9}$

6fr.

ASÍ ES COMO SE HACE

1 El riff comienza con la nota Do sobre el traste 3.º de la 5.ª cuerda. Utiliza el dedo anular para tocar esta nota y mantenla firme.

2 Éste es el comienzo del ascenso en la 5.ª cuerda desde el 2.º traste al 5.º. Una vez lo has tocado, pisa los mismos trastes en la 6.ª cuerda.

3 Ahora volvemos a la 5.ª cuerda para tocar una escala ascendente desde el 4.º traste al 6.º. Utiliza todos los dedos aquí.

4 El riff termina con este acorde E7#9 (Mi séptima sostenido novena), conocido como acorde Hendrix porque él lo utilizaba con frecuencia.

STRAT PARA ZURDOS

Gracias a Jimi Hendrix, la Stratocaster es la guitarra eléctrica que más se ha vendido en la historia. Antes de Hendrix, la mayoría de los guitarristas destacados de Reino Unido utilizaban guitarras Gibson y Rickenbaker. Después de aparecer él, casi todos los guitarristas líderes, entre ellos Jeff Beck y Clapton, usaron una Stratocaster.

ARRIBA: *Hendrix en acción con su Strat.*

Hendrix compró su primera Strat en Manny's Music, Nueva York, en el año 1966. Hendrix, que era zurdo, compraba Strat para diestros porque prefería tener los controles en la parte superior. Este suceso creó una tensión totalmente diferente al sentimiento general de la guitarra. También, fuera de lo normal, se patentó la palanca de trémolo Fender que le permitía doblar notas y acordes completos sin que se desafinara la guitarra. El mástil estrecho y la corta distancia entre cuerdas y diapasón también eran muy apropiados para el estilo de Hendrix, ya que tenía las manos muy grandes, y era capaz de pisar las seis cuerdas en un traste con la punta del dedo pulgar.

A pesar de que Hendrix tuvo docenas de Strat, una tras otra, sólo se sabe de seis de ellas que estén en circulación. La más conocida de todas ellas es la Strat blanca de 1968 que Hendrix tocó en Woodstock, revendida en 1993 por 750.000 libras. Ahora se encuentra expuesta en el Experience Music Project de Seattle, construido por el multimillonario de Microsoft, Paul Allen, admirador de Hendrix.

un prototipo e inmediatamente recibieron 50 pedidos. En 1964 los amplificadores Marshall tenían su propia fábrica al oeste de Londres. Entre sus clientes se encontraba Pete Townshend de The Who, quien pidió un amplificador aún más potente. Respondiendo a esta petición, la empresa creó los primeros amplificadores de 100 vatios. Townshend pidió también una caja más grande de 8 x 12 para los altavoces. Esta caja no resultó nada práctica y le llevó a una versión distinta, una caja de 4 x 12 sobre otra. Nacieron los Marshall, y únicamente se necesitaba que Hendrix los llevara al siguiente nivel.

PEDALES DE DISTORSIÓN

Una unidad de distorsión diseñada para aumentar el volumen del instrumento a la vez que aumenta la calidad de distorsión del sonido. Permite el sustain (período de tiempo en el que un sonido se mantiene antes de desaparecer gradualmente) y el feedback de la guitarra pulsando un botón. Hendrix empezó a utilizar una unidad de distorsión, la Maestro Fuzz Tone, casi desde el momento en el que se encontró disponible, mientras tocaba con Curtis Knight. Al trasladarse a Londres, descubrió una nueva favorita, la Fuzz Face. En un principio la fabricaba Arbiter y tenía una peculiar formar redonda inspirada en una base de micrófono. Hendrix utilizó mucho el aparato, aunque el sonido de una unidad de distorsión se parece mucho al de un amplificador, no siempre resulta fácil detectarlo en un disco.

Posteriormente, Hendrix consiguió que Roger Mayer fabricara para él, le hizo varios pedales de efectos, entre ellos un Octavia. Era una combinación única de unidad de distorsión y duplicador de octava. Produce un sonido que es una octava más alto que la nota que está tocando el guitarrista, creando además sonidos extraños. Se puede ver a Hendrix utilizando el Octavia en canciones como «Purple Haze».

«All Along the Watchtower»

DISCO: *ELECTRIC LADYLAND*
LETRA: BOB DYLAN
GRABACIÓN: RECORD PLANT, NUEVA YORK
PRODUCTOR: JIMI HENDRIX

Un gran solo de Jimi Hendrix da la entrada de «All Along the Watchtower». Éste solo emplea algunos estirados de cuerda para expresar la melodía. Es sorprendente cuánto sentimiento es capaz de introducir en tan pocas notas. Emplea la técnica del estirado de cuerdas (bend) para conseguir estas notas altas. Practica los estirados después de la cadencia de una frase para conseguir más melodía en tus solos.

RIFF BÁSICO DE LA CANCIÓN

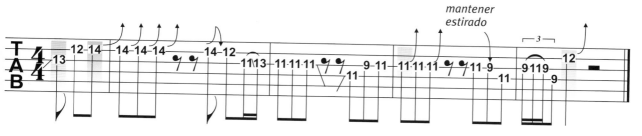

ASÍ ES COMO SE HACE

1 Comienza en Sol sostenido (G#) en el 13.º traste de la 3.ª cuerda con el dedo medio, esto permite que el dedo índice pise la 2.ª cuerda.

2 Éste es el estirado desde el 14.º traste de la 2.ª cuerda, utiliza el dedo anular para realizar un buen estirado aquí.

3 Se muestra un estirado hacia abajo en el 11.º traste de la 3.ª cuerda; emplea de nuevo el dedo anular para conseguir bajar al máximo la cuerda.

4 La última nota del riff es un estirado en el 12.º traste de la 2.ª cuerda. Utiliza todos los dedos para sostener el estirado.

JIMMY PAGE

1944-
BANDA: **THE YARDBIRDS; LED ZEPPELIN**
MAYOR FAMA: **DÉCADA DE 1970**

Considerado, con frecuencia, como el héroe del heavy-metal (todo riffs prodigiosos y solos épicos), Jimmy Page es en realidad uno de los guitarristas más versátiles que aparecieron en la era del rock. Era un famoso músico de sesión antes de surgir como artista por propio derecho, incluso en su trabajo con Led Zeppelin, incorporó una interpretación acústica sutil y experimentación modal, sin mencionar su interpretación utilizando el arco del violonchelo y los conocidos versos heroicos.

Jimmy Page nació en Londres en enero de 1944. Empezó a tocar la guitarra a los 12 años, se sintió inspirado por el guitarrista Scotty Moore de Elvis. En su adolescencia realizó giras con la banda de rock'n'roll Neil Christian and the Crusaders, antes de dejar la música durante un tiempo para dedicarse a la pintura.

Sin embargo, pronto volvió a tocar la guitarra y durante la década de 1960 fue guitarrista de sesión número uno en Reino Unido, tocando para varios grupos, desde The Kinks hasta los Rolling Stones, antes de decidir unirse finalmente a The Yardbirds, donde durante un breve período de tiempo formó pareja con el legendario de la guitarra Jeff Beck. Después de The Yardbirds, formó Led Zeppelin y se trasladó, por fin, al centro del escenario.

Con Led Zeppelin, Page fue capaz de mostrar todos sus trucos, tanto en su creación arquetípica del riff de heavy metal de «Whole Lotta Love», como los riffs modales místicos, pero llenos de fuerza de «Kashmir» o delicadas composiciones acústicas como «Black Mountain Side», donde reveló por primera vez la influencia del gran guitarrista de folk Bert Jansch. Más tarde, con «Stairway to Heaven», los unió todos para crear un rock épico que comenzaba con delicadeza acústica y después llegaba a un majestuoso clímax eléctrico.

Es el definitivo himno de guitarra y aprender a tocarlo es un rito de transición para los guitarristas en ciernes.

DERECHA: *Jimmy Page aparece aquí con su guitarra Gibson de dos mástiles. Uno tiene 12 cuerdas y el otro seis.*

LA UNIDAD DE DISTORSIÓN DE ROGER MAYER

Volviendo a 1964, cuando Jimmy Page era un joven guitarrista de sesión, su amigo Roger Mayer estaba trabajando para el Almirantazgo británico en el campo de la investigación acústica y de vibración en colaboración para la guerra submarina. Jimmy Page ya estaba interesado en ampliar la capacidad sónica de su guitarra eléctrica y animó a Mayer a que le fabricara una unidad de efectos. El resultado fue uno de los primeros pedales de distorsión, que se caracterizaba por transistores de germanio.

El sonido único fue un éxito inmediato. Los productores pedían que Page utilizara el efecto en las grabaciones que estaban realizando (por ejemplo, el sonido distorsionado de la guitarra de «Who's My Generation» fue interpretado por Page antes que por Pete Townshend). La demanda popular supuso que Mayer fabricara más unidades para los demás grandes guitarristas de estudio de la época, Jeff Beck y Big Jim Sullivan, que lo utilizaron en éxitos del pop como «Hold Me» de P. J. Proby, que quizás haya contribuido al efecto de verse como una novedad esencialmente. Mayer continuó fabricando pedales de distorsión cada vez más sofisticados que se convertirían en parte del sonido propio de Jimi Hendrix. Sin embargo, Page creía todavía en la fuerza de su unidad original, y cuando comenzó a hacer su propia música con Led Zeppelin, liberó su verdadero potencial.

ABAJO: *Jimmy Page con la banda que le hizo famoso, Led Zeppelin. Zeppelin sigue siendo una de las bandas de rock de mayores ventas de la historia.*

«Whole Lotta Love»

DISCO: *LED ZEPPELIN II*
LETRAS: JIMMY PAGE, ROBERT PLANT, JOHN BONHAM, JOHN PAUL JONES, WILLIE DIXON
GRABACIÓN: OLYMPIC STUDIOS, LONDRES
PRODUCTORES: PETER GRANT, JIMMY PAGE

También conocido por ser el tema del programa semanal de éxitos del canal de televisión BBC Top of the Pops, éste es uno de los riffs más famosos de la historia. La clave para conseguirlo se encuentra en el ritmo. El movimiento de los dedos por el diapasón es mínimo, pero deberás conseguir el ritmo. Practica tocar notas pesadas, sencillas en las cuerdas graves, y deslizar el acorde en los trastes 7.º y 8.º.

RIFF BÁSICO DE LA CANCIÓN

P.M.= Palm Muting (ahogado de cuerdas)

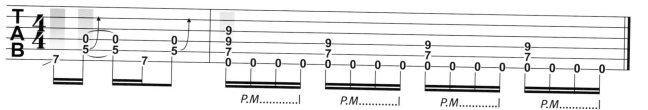

ASÍ ES COMO SE HACE

1 Esta fotografía muestra al dedo anular en el 7.º traste de la 6.ª cuerda, el dedo índice volverá al 5.º traste de la 5.ª cuerda.

2 Practica esta parte del riff, moviéndote entre las cuerdas 6.ª y 5.ª. Consigue la coordinación antes de pasar al siguiente acorde.

3 Haz un slide en este acorde para completar el riff, el dedo índice en la 5.ª cuerda y los dedos anular y meñique en las cuerdas 4.ª y 3.ª.

EL ARCO DEL VIOLONCHELO

En el centro de *The Song Remains the Same,* el concierto épico y película de fantasía que muestra a Led Zeppelin en su pompa y esplendor, hay una versión de 28 minutos de «Dazed and Confused», una demostración de las sorprendentes habilidades de Page con la guitarra. En el punto más dramático de la canción, Page saca un arco de violonchelo y lo utiliza sobre su Les Paul, logrando sonidos realmente extraordinarios.

Aunque es una indiscutible y eficaz parte del espectáculo, el uso del arco de violonchelo es más que una simple proeza. Page grabó por primera vez con un arco cuando estaba todavía con The Yardbirds, y lo utilizó con frecuencia cuando grababa con Led Zep. No sólo tocaba la guitarra, sino que también la combinaba con wah wah y echo. Respecto a en quién se inspiró, existen diferencias. Page declara que la idea se la dio un intérprete clásico cuando estaba realizando él un trabajo de estudio. Otros, sin embargo, han señalado a Eddie Phillips, guitarrista de otra banda de la década de 1960, The Creation, que utilizó el arco antes que él. Sea cual sea la verdad del asunto, si estás pensando probarlo personalmente, un consejo clave es poner colofonia en el arco, ya que ésta se adhiere a la cuerda y le hace vibrar.

DERECHA: *El arco de violonchelo y la guitarra no son una combinación típica, pero Jimmy Page los utilizó juntos para crear efectos musicales extraños.*

LA GIBSON DE DOS MÁSTILES (GIBSON DOUBLENECK)

Cuando llegó la hora de actuar en directo, la versatilidad de Jimmy Page tuvo algunos problemas logísticos, sobre todo en «Stairway to Heaven». Para grabar la canción, Page empezaba tocando una Martin Acoustic, luego conectaba una Fender XII de 12 cuerdas para la parte más roquera, mientras que el solo lo interpretaba con una Fender Telecaster. Obviamente, conectar varias guitarras en directo era algo complicado. Sin embargo, la canción, un clásico en ese momento, exigía que así fuera. Entonces Page encontró una solución. Recordó que Gibson había fabricado un guitarra con dos mástiles durante un breve periodo de tiempo a finales de la década

IZQUIERDA: *Jimmy Page era un verdadero espectáculo. Todavía se encuentra muy involucrado en la música y ha remasterizado el repertorio de Zep.*

«Heartbreaker»

DISCO: *LED ZEPPELIN II*
LETRAS: ROBERT PLANT, JIMMY PAGE, JOHN PAUL JONES, JOHN BONHAM
GRABACIÓN: A&R STUDIOS, NUEVA YORK
PRODUCTORES: PETER GRANT, JIMMY PAGE

Éste es otro gran riff de rock de Led Zeppelin tocado en las cuerdas graves para conseguir un sonido fuerte y agradable. El riff comienza con un estirado en la nota Sol en la 6.ª cuerda antes de entrar en el riff principal. En la segunda parte, hay algunas notas rápidas en la 5.ª cuerda. Practica el cambio de las notas dobles más rápidas a las notas principales del riff, y da golpes ascendentes y descendentes con la púa para lograr rapidez.

RIFF BÁSICO DE LA CANCIÓN

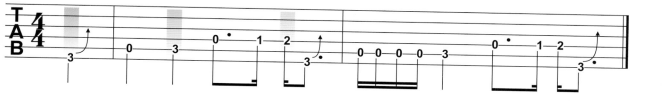

ASÍ ES COMO SE HACE

1 Se muestra un estirado de la 6.ª cuerda. Utiliza el dedo anular aquí, luego déjalo caer hacia la 5.ª cuerda para la siguiente parte del riff.

2 Pisa la 5.ª cuerda, luego baja el dedo anular a la nota Do en el tercer traste de la 5.ª cuerda.

3 Esta cadencia de tres notas está en la 4.ª cuerda. Pisa al aire, luego utiliza el índice y el medio para tocar el 1.º y 2.º traste.

de 1950. La Gibson EDS 1275 tenía un mástil con 12 cuerdas y otro con seis, ambas unidas al mismo cuerpo. La guitarra ya no se fabricaba, pero Page encargó una de ellas a Gibson. Ahora era capaz de realizar el crucial cambio de sonido, en la mitad de «Stairway to Heaven», en directo y con una sola guitarra. Poco tiempo después, otros héroes de la guitarra de la década de 1970, entre ellos Steve Howe de Yes y el supremo de jazz y rock, John McLaughlin, encargaron sus propias guitarras con dos mástiles. Sin embargo, no sólo era la conveniencia del directo lo que le interesaba a Page. Se dio cuenta de que si dejas conectado el mástil de 12 cuerdas y tocas en el de seis cuerdas, el de 12 cuerdas empieza a vibrar por simpatía y produce un efecto parecido al del sitar indio.

MAESTRO ECHOPLEX

Jimmy Page es uno de los grandes pioneros en lo que se refiere a efectos con guitarra eléctrica. Su papel en el desarrollo del pedal de distorsión es únicamente el ejemplo más influyente.

Igual de innovador fue su dominio del Maestro Echoplex. Era una cámara de eco a cinta de mediados de la década de 1970. Fundamentalmente la parte de guitarra entraba en el aparato, se grababa en una cinta y sonaba un segundo más tarde produciendo un eco. Jimmy Page utilizó mucho el efecto eco claro, pero sus prisas por experimentar también desenterraron nuevas posibilidades del aparato. Tocaría una nota, o incluso un acorde, limpio o con corte, y le daría un largo retraso, luego añadiría el *sustain* que haría que se repitiera el eco, y ajustaría la frecuencia para que los ecos se aceleraran como un avión despegando, antes de alcanzar un crescendo imponente. Es un efecto que utilizó para el impresionante efecto de «Whole Lotta Love», y que fue crucial para determinar que el sonido de Led Zep era mucho más potente de lo que se había oído hasta el momento. Las unidades modernas de efectos digitales, por supuesto, ofrecen una duración mucho mayor y ecos infinitamente retorcidos, pero los puristas aseguran que nunca podrán igualar la calidez análoga del Echoplex original.

IZQUIERDA: *Page está tocando aquí con una Gibson Les Paul. Page solía utilizar su guitarra de dos mástiles en actuaciones en directo y no durante las grabaciones.*

«Kashmir»

DISCO: *PHYSICAL GRAFFITI*
LETRAS: **ROBERT PLANT, JIMMY PAGE, JOHN BONHAM**
GRABACIÓN: **STARGROVES, OLYMPIC STUDIOS, LONDRES**
PRODUCTOR: **JIMMY PAGE**

Es un gran riff enérgico de Jimmy Page en el que se recorre el diapasón. Para tocar este riff, afina la 6.ª cuerda bajando a la 4.ª (comprueba que está afinada comparándola con la 4.ª cuerda al aire). Asegúrate de incluir la 4.ª cuerda en este riff para conseguir un máximo efecto. Escucha la grabación para practicar el ritmo. Practica utilizando y variando golpes ascendentes y descendentes con la púa para lograr ese sonido entrecortado de la guitarra rítmica.

RIFF BÁSICO DE LA CANCIÓN

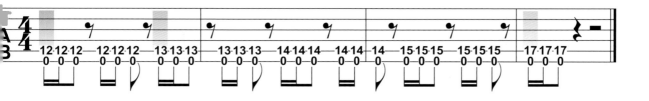

ASÍ ES COMO SE HACE

1 La tablatura muestra al dedo índice en el 12.º traste de la 5.ª cuerda. Recuerda que sólo es necesario pisar las dos cuerdas graves.

2 Añadiendo el dedo medio al 13.º traste de la 5.ª cuerda, empezamos el riff ascendente. Trabaja los golpes ascendentes y descendentes y pronto conseguirás ese gran ritmo.

3 Éste es un salto de dos trastes hacia el 17.º, es más fácil deslizar el dedo meñique hacia aquí. Recuerda tener cuidado con la afinación de las cuerdas.

«Stairway to Heaven»

DISCO: *LED ZEPPELIN IV*
LETRAS: **ROBERT PLANT, JIMMY PAGE**
GRABACIÓN: **ISLAND STUDIOS, LONDRES**
PRODUCTOR: **ANDY JOHNS**

La tablatura muestra el maravilloso arpegio de la introducción de «Stairway to Heaven». Requiere algo de práctica, pero tiene su recompensa tocarla una vez que lo has cogido. Ése es el motivo por el que se practica tanto en las tiendas de guitarras de todo el mundo. Practica cada sección de la tablatura por separado hasta que tengas soltura, luego únelas todas.

RIFF BÁSICO DE LA CANCIÓN

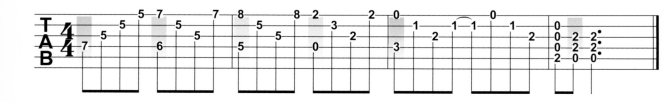

ASÍ ES COMO SE HACE

1 El dedo índice pisa en el 5.º traste de las cuerdas 1.ª, 2.ª y 3.ª, mientras que el dedo anular pisa el 7.º traste de la 4.ª cuerda.

2 Mantén el dedo índice en la misma posición, pero ahora el meñique pisa la 1.ª cuerda y el dedo medio pisa el 6.º traste de la 4.ª cuerda.

3 El dedo índice continúa en la misma posición, pero aquí el dedo meñique pisa el 8.º traste de la 1.ª cuerda. Sigue la tablatura fielmente.

4 El dedo índice está sobre la 3.ª cuerda, el medio sobre la 1.ª cuerda y el anular sobre la 2.ª cuerda.

Discos famosos

Los cuatro primeros discos de Led Zeppelin no tienen un nombre oficial. Normalmente se conocen como Led Zeppelin I, II, III y IV, *aunque el último también puede llamarse* Tour Symbols. *Seis discos de Zeppelin aparecen en las listas de los más vendidos durante la década de 1970. Sólo en Estados Unidos el disco* Led Zeppelin IV *llegó a la extraordinaria cantidad de 22 millones de copias.*

DISCO: *LED ZEPPELIN II*
AÑO: 1969
GRABADO EN: **OLYMPIC, LONDRES**
PRODUCIDO POR: **JIMMY PAGE**

DISCO: *LED ZEPPELIN III*
AÑO: 1970
GRABADO EN: **HENLEY GRANGE**
PRODUCIDO POR: **JIMMY PAGE**

DISCO: *LED ZEPPELIN IV*
AÑO: 1971
GRABADO EN: **HENLEY GRANGE**
PRODUCIDO POR: **JIMMY PAGE**

5 El dedo índice se encuentra en el traste 1.º de la 2.ª cuerda, el medio en el 2.º traste de la 3.ª cuerda y el anular en el traste 3.º de la 4.ª cuerda.

6 La postura final es: el dedo medio en el 2.º traste de la 4.ª cuerda y el anular en el 2.º traste de la 3.ª cuerda.

INFORMACIÓN DE LA BANDA

LED ZEPPELIN
BANDA FORMADA EN: 1968
DISCO: 22, INCLUIDAS
NUEVAS EDICIONES.
TOTAL VENTAS DE DISCOS:
MÁS DE 40 MILLONES

FORMACIÓN ORIGINAL
LÍDER: ROBERT PLANT
GUITARRA: JIMMY PAGE
BAJO: JOHN PAUL JONES
BATERÍA: JOHN BONHAM

THE ALLMAN BROTHERS

1946-1971 Y 1943-(respectivamente)
GUITARRISTAS: DUANE ALLMAN, DICKEY BETTS
MAYOR FAMA: FINALES DE LA DÉCADA DE 1960 Y PRINCIPIOS DE LA DE 1970.

A la mayoría de las bandas les encantaría tener a un gran guitarrista en su formación. The Allman Brothers tuvieron la suerte, durante un tiempo, de tener dos: Duane Allman y Dickey Betts.

A finales de la década de 1960, Duane Allman era ya un gran músico de sesión, que había aparecido en una amplia gama de clásicos del soul atlántico. Sin embargo, decidido a hacer su propia música, formó una banda con su hermano Greg al órgano y vocal, Dickey Betts a la guitarra, Berry Oakley al bajo y Butch Trucks y Jaimoe Johanson a las baterías. Combinaron su amor por el R&B y el rock'n'roll con la improvisadora habilidad de un grupo de jazz de primera categoría, y sus ardientes espectáculos pronto lograron incondicionales seguidores.

Dieron un paso más con su segundo álbum de 1970, *Idlewild South,* al que añadieron a su música una textura acústica más suave e incluyeron los clásicos «Midnight Rider» e «In Memory of Elizabeth Reed», un tributo instrumental a Miles Davis, escrito por Betts.

En marzo de 1971, la banda, siempre dando lo mejor de sí misma en el escenario, grabó un disco en directo, *At Fillmore East,* que se convirtió en un clásico al momento.

Mientras tanto, Duane Allman, trabajó además en un proyecto con los Derek & The Dominoes de Eric Clapton, aportando el riff principal y la parte de guitarra slide clásica a «Layla». Posteriormente, en octubre de 1971, llegó la tragedia al morir en un accidente de moto. The Allmans se encontraban trabajando en su siguiente disco, *Eat a Peach,* en ese momento. Lo terminaron los cinco componentes de la banda. Dickey Betts tocaba todas las partes de solos y deslizamientos en la guitarra. Fue el primer disco que llegó al Top 10.

Desde entonces, Betts y Greg Allman compartieron el liderazgo de la banda. Betts escribió y cantó el mayor éxito del grupo «Ramblin Man» y el clásico instrumental «Jessica». The Allmans se separaron en 1976 y después de varias reuniones regresaron en 1989.

DERECHA: *Duane Allman fue un auténtico héroe de la guitarra que logró un estatus legendario en sólo dos años de actuaciones, antes de su prematura muerte en 1971.*

EL CUELLO DE BOTELLA DE CORICIDIN

Los guitarristas habían utilizado cuellos de botellas de cristal desde que comenzaron a hacer slides en la guitarra. Se remonta al inicio del blues. Sin embargo, sólo a Duane Allman se le ha identificado con una botella en particular. La botella de Coricidin. Coricidin es una medicina para el catarro y, casualmente, Allman estaba resfriado y tomaba esa medicina justo cuando empezaba a aprender a tocar con la técnica del deslizamiento (slide). Descubrió entonces que este frasco de medicina en particular tenía la medida y longitud perfectas para los dedos segundo y tercero de la mayoría de las personas y, exactamente, la anchura del mástil de la guitarra eléctrica estándar Les Paul.

El empleo de la botella de Coricidin, por parte de Allman, pronto se convirtió en leyenda y los intérpretes de guitarra slide las buscaban con avidez, pero a finales de la década de 1970 las botellas de cristal fueron prohibidas por un reglamento federal de protección a la infancia. Las nuevas botellas de plástico eran más seguras para los niños, pero no esperaban lo de los aficionados a la guitarra slide, que habían llegado a depender de la resonancia y sostenimiento que conseguían con las botellas de Coricidin, y llegaban a pagar hasta 20 dólares (en dólares de 1975) por una de las botellas originales recogidas en los botiquines.

ABAJO: *Duane Allman creó el sonido de oscilación del blues con su Gibson Les Paul, acentuando las vocales, dándole a la guitarra el máximo protagonismo.*

La demanda creció hasta tal punto de que, en 1985, un tal Scout «Blue» Bernstein fabricó una réplica y pronto empezó a comercializarla para uso exclusivo de los guitarristas que deseaban emplear la técnica slide. Por tanto, aunque puedes usar todavía cuellos de botella rotos, uñas de metal y slides hechos especialmente de plástico y de cristal, la botella de Coricidin se encontrará todavía por ahí.

«Jessica»

DISCO: *BROTHERS AND SISTERS*
LETRA: FORREST RICHARD BETTS
GRABACIÓN: CAPRICORN SOUND STUDIOS, GEORGIA
PRODUCTOR: JOHNNY SANDLIN

Una bonita introducción de guitarra acústica. El riff comienza con una 5.ª cuerda al aire antes de pasar al acorde A (La). Escucha la grabación para que te ayude en el ritmo. Emplea golpes ascendentes y descendentes con la púa y practica la nota grave en Sol y el acorde. Intenta que los acordes suenen con claridad y evita tocar las cuerdas agudas con los dedos del traste.

RIFF BÁSICO DE LA CANCIÓN

ASÍ ES COMO SE HACE

1 Esta fotografía muestra la postura del acorde La. Se puede tocar con el dedo índice pulsando las cuerdas 4.ª, 3.ª y 2.ª en el 2.º traste.

2 Aquí el dedo medio pisa el traste 3.º de la 6.ª cuerda. Practica un movimiento hacia atrás y hacia delante entre esta nota y el siguiente acorde.

3 En esta ilustración el índice pisa la 3.ª cuerda, el medio pisa la 2.ª cuerda y el anular la 4.ª cuerda.

PETE TOWNSHEND

1945-
BANDA: **THE WHO**
MAYOR FAMA: **DÉCADAS DE 1960 Y 1970**

Peter Townshend es, junto a Keith Richards, uno de los guitarristas rítmicos de rock más grandes de todos los tiempos. A diferencia de la mayoría de las bandas de rock, The Who basan su ritmo en la guitarra de Townshend, dejando que el batería Keith Moon y el bajista John Entwistle improvisaran sobre su base, mientras que Daltrey era su vocal. Esa fórmula dio a sus grabaciones una potencia e impulso únicos, mientras que en las actuaciones en directo Townshend llevaba a la banda a un terreno sónico aún más amplio con su afición de terminar las canciones con una cacofonía de sonido desafinada, cuando destrozaba sus guitarras en el escenario.

Peter Dennos Blandford Townshend nació el 19 de mayo de 1945 en Chiswick, Londres (Reino Unido). Es hijo de la cantante Betty Dennos y del saxofonista Cliff Townshend. En su adolescencia empezó a tocar el banjo en una banda de jazz, Dixieland, antes de unirse a The Detours como guitarrista rítmico, junto a Roger Daltrey y John Entwistle. Los Detours pronto se convirtieron en The Who. Composiciones clásicas de Townshend como «I Can't Explain», «My Generation» y «Substitute» afirmaron que el grupo no era únicamente una gran banda de rock, sino una banda que presentaba explícitamente la confusión del momento.

Las letras de las canciones de Townshend se complicaron aún más, llegando a la ópera rock *Tommy*, antes de dedicarse a un estilo más sencillo de rock duro, pero todavía mordaz y efectivo, para los álbumes clásicos *Who's Next* y *Live at Leeds*. Durante la década de 1970 Townshend empezó su carrera en solitario pero el material resultante, más personal, nunca obtuvo la audiencia de masas de la que seguía disfrutando la banda, fomentada por la película *The Kids Are All Right* y las películas basadas en las óperas de rock *Tommy* y *Quadrophenia*. Townshend se ha estado dedicando a escribir libros y a trabajar en una obra épica de multimedia titulada *Lifehouse*.

DERECHA: *Algunas veces, los destrozos de guitarras de Pete Townshend en el escenario con The Who perjudicaba su formidable talento de músico de rock.*

DEMOLEDOR DE GUITARRAS

La primera vez que Pete Townshend destrozó una guitarra en el escenario fue durante una actuación de The Who en el norte de Railway Tavern de Londres en otoño de 1964. Durante la actuación, Pete Townshend golpeó repetidamente su Rickenbacker contra el techo, intentado sacar algún sonido como reacción. A los fans de la banda les encantó, y le desafiaron para que maltratara de nuevo su guitarra en la segunda parte. «La guitarra se rompió», recordaba Townshend, «y la audiencia esperaba que yo llorara sobre ella... así: ¡Eh! Eso te enseñará a saltar alrededor como un lunático». Sin embargo, Townshend decidió actuar como si la destrucción hubiera sido deliberada. «Así que destrocé la guitarra aún más y salté sobre los trozos, lo que produjo un murmullo fantástico.» La multitud, por supuesto, se volvió loca. Por desgracia, a partir de entonces los fans esperaban que los The Who destrozaran su equipo en cada actuación, una situación que en algún momento amenazó con llevar a la ruina al grupo, especialmente cuando descendieron sus fortunas después del enorme éxito de sus primeros sencillos. Sin embargo, el éxito de *Tommy* le proporcionó a Townshend suficiente solvencia económica para destrozar tantas guitarras como quisiera (y al batería Keith Moon la oportunidad de conducir y tirar a la piscina tantos Roll Royce como quisiera).

GIBSON SG

La Gibson SG es el modelo de guitarra con el que más se ha asociado a Townshend. Utilizó este modelo, casi de un modo exclusivo, en el escenario desde 1968 a 1973. Solía utilizar las SG fabricadas entre 1966 y 1970, que se identifican por el golpeador completamente negro.

ARRIBA: *Townshend tocando con una de sus guitarras Gibson SG favoritas.*

En realidad, cuando Gibson cambió la especificación de la SG en 1971, le causó una gran intranquilidad. En una entrevista para la revista *Guitar Player* en 1972, confesaba que «sacaron del mercado a la antigua SG hace un año aproximadamente, así que agotamos todas las SG antiguas del país... Recorrimos todos los almacenes de música del país prácticamente, buscando las SG antiguas». Para Townshend era un problema, especialmente, por su inclinación a destruir sus guitarras cuando terminaban las actuaciones. Por tanto, cuando se agotaron definitivamente los modelos fabricados entre 1966 y 1970, volvió brevemente a los modelos anteriores a 1966. Además de la SG roja clásica, parece ser que también ha tenido al menos dos, o posiblemente tres, Polaris White Gibson SG Specials. Más tarde, a finales de 1973, cambió de modo permanente a la Gibson Les Paul Deluxe.

Recientemente, Gibson ha presentado una Gibson SG aprobada por Pete Townshend. Según Gibson, la SG de Townshend poseía «el estilo de guitarra eléctrica Gibson de mayor reconocimiento en los años 60». El nuevo modelo es una réplica de esa guitarra, con sus pronunciadas puntas, una pegatina con la firma de Townshend en la parte posterior del clavijero y una caja dura Pete Townshend Signatura SG. Él mismo ha comentado que «esta guitarra es sorprendente. Parece, suena y se siente exactamente igual que la que utilicé durante *Live at Leeds*».

«Pinball Wizard»

DISCO: *TOMMY*
LETRA: PETE TOWNSHEND
GRABACIÓN: IBC STUDIOS, LONDRES
PRODUCTORES: CHRIS STAMP, KIT LAMBERT

Esta canción tiene buenos acordes para practicar tus «swings» con la mano de rasguear. La tablatura muestra los principales acordes del riff de guitarra. Si practicas tu coordinación con estos acordes irás notando que cada vez te acercas más al sonido de Pete Townshend de The Who. Toca estos acordes, fuerte y alto, utilizando golpes ascendentes y descendentes con la púa, y escucha la canción para que te ayude en la coordinación.

RIFF BÁSICO DE LA CANCIÓN

ASÍ ES COMO SE HACE

1 El dedo índice toca la nota Si en la 5.ª cuerda; el anular y el meñique tocan notas Fa sostenida (F#) y Si en las cuerdas 4.ª y 3.ª.

2 Desliza el dedo índice hacia abajo para cubrir el segundo traste de las cuerdas 4.ª y 3.ª. Recuerda incluir la 5.ª cuerda al aire en este acorde.

3 Utiliza el dedo índice en el 2.º traste de la 3.ª cuerda y el anular en el traste 3.º de la 2.ª cuerda. Observa la 4.ª cuerda al aire esta vez.

4 El riff termina con el acorde Mi quinta (E5). Coloca el dedo medio en el 2.º traste de la 5.ª cuerda y el anular en el 2.º traste de la 4.ª cuerda.

JERRY GARCIA

1942-1995
BANDA: **THE GRATEFUL DEAD**
MAYOR FAMA: **DÉCADAS DE 1960 Y 1970**

Jerry Garcia es un guitarrista que va de un extremo a otro. Por un lado es famoso por los solos épicos con guitarra eléctrica, improvisando aires clásicos de The Grateful Dead como el de «Dark Star» durante algo más de una hora. Por otro lado, también es conocido por su interpretación acústica centrada y bien formada con su Martin Dreadnought de confianza, como aparecen en los dos discos definitivos de Dead: *Workingman's Dead* y *American Beauty*.

También es el hombre que quizás tocó el primer solo con guitarra steel pedal que los fans del rock oían por primera vez (cuando interpretó el clásico «Teach Your Children» de CSNY). Todo ello a pesar de tener mutilada la mano derecha. Había perdido el dedo medio justo por debajo del primer nudillo mientras cortaba leña en su juventud.

Jerry Garcia nació en San Francisco, el 1 de agosto de 1942. Aprendió a tocar la guitarra cuando tenía 15 años, en un principio tocaba folk y rock'n'roll. Dejó el colegio a los 16 años y pasó un breve período de tiempo en el ejército. Después de dejar el mundo militar se trasladó a Palo Alto donde se encontró con el futuro autor de las letras de Dead, Robert Hunter. Garcia compró un banjo y empezó a tocar en bandas locales de bluegrass. Una de ellas, Mother McCree's Uptown Jug Champions, evolucionó finalmente en Grateful Dead en 1966, con Garcia a la guitarra eléctrica.

La interpretación de Jerry Garcia con guitarra eléctrica incorporó aspectos de toda clase de música: bluegrass y Chuk Berry, country & western y jazz moderno se podían oír todos mezclados. Durante los primeros años de la banda, Garcia tocó con una Guild, luego varias Gibson, sobre todo Les Paul, y en alguna ocasión Strat. Desde finales de la década de 1970, sin embargo, tocaba con guitarras hechas de encargo. Durante muchos años las hizo para él Doug Irwin. Una, apodada «Tiger», iba a ser el instrumento principal de Garcia sin precedentes durante 11 años.

DERECHA: *Jerry Garcia fue una auténtica leyenda de la guitarra americana. Cuando murió en 1995, el presidente Bill Clinton recordó a Garcia como «un icono americano».*

En la década de 1990 también usaba guitarras fabricadas por un novato de gran talento llamado Stephen Cripe.

The Grateful Dead, con su combinación de influencias de notas tónicas y sensibilidades sicodélicas, se convirtieron en una institución americana llena de color y una atracción viva de masas hasta 1995, cuando la dura vida de Garcia terminó finalmente al morir de un ataque al corazón mientras asistía a una clínica de rehabilitación.

GUITARRA CONTRA BANJO

«En la música, puse mi primera y verdadera energía en los banjos de cinco cuerdas», decía Garcia. «Reducía la velocidad de los discos y escuchaba atentamente cada golpe y trabajaba en ellos. Al haber seguido ese proceso con el banjo, cuando pasé a la guitarra eléctrica, ya sabía cómo aprender».

Garcia, en realidad, había empezado a tocar una guitarra eléctrica Danelectro cuando era adolescente. Sin embargo, por 1960, se vio atrapado por el renacimiento del folk y del bluegrass de ese momento y cambió su instrumento por el banjo más tradicional. Pronto dominó las técnicas básicas del banjo en el bluegrass, tocando clawhammer y punteando con dos dedos. Al principio llegó a una aproximación ortodoxa, intentando sonar lo más parecido posible a un punteador de la montaña de Kentucky de los viejos tiempos. Todo esto cambió por la influencia de Bill Keith, quien, por medio de su trabajo con Bill Monroe, revolucionó el banjo del bluegrass. Keith empleaba deslumbrantes «cromáticos» (arpegios melódicos, sucesión de notas o cadencias que subían y bajaban por la escala musical) y una nueva complejidad en los acordes. Garcia se sintió inspirado inmediatamente por la interpretación de Keith. Apreció y extendió los sutiles acentos rítmicos de Keith y, en particular, se esforzaba por aprender el dominio que tenía Keith de todos los trastes, que con frecuencia tocaba notas más altas en una cuerda más baja, y empleaba esta habilidad para producir pasajes de arpegios que bajaban y subían dramáticamente por el mástil. A Keith le gustaba especialmente producir líneas ascendentes largas de esta manera. Todo esto ejerció una influencia obvia cuando, a partir de 1964, Garcia prestó de nuevo su atención a la guitarra eléctrica.

IZQUIERDA: *Garcia reunió múltiples influencias musicales, desde el rock duro hasta las suaves melodías del folk.*

«Dark Star»

DISCO: *LIVE DEAD*
LETRAS: JERRY GARCIA, ROBERT HUNTER
GRABACIÓN: THE FILLMORE WEST; AVALON BALLROOM (SAN FRANCISCO)
PRODUCTORES: THE GRATEFUL DEAD

Éste es un maravilloso riff para improvisar a partir de The Grateful Dead, los maestros de la improvisación en el rock. La tablatura muestra el riff que comienza en la 3.ª cuerda, pero una vez que hayas dominado la melodía con los dedos, suena bien en cualquier lugar de la guitarra. Experimenta algunos estirados para añadir expresión a la melodía. Es un riff bastante lento, por tanto, es un buen momento para practicar golpes ascendentes y descendentes con la púa.

RIFF BÁSICO DE LA CANCIÓN

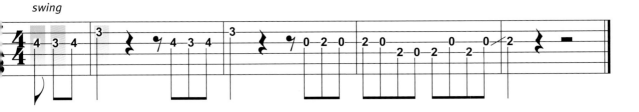

ASÍ ES COMO SE HACE

1 Intenta esta primera parte del riff con el dedo medio sobre el 4.º traste de la 3.ª cuerda. Acostúmbrate a bajar a la 2.ª cuerda para la nota Re.

2 Aquí puedes utilizar el índice para tocar el traste 3.º de la 3.ª cuerda. Divide el riff en partes y repítelas.

3 El dedo índice está tocando la nota Re en el traste 3.º de la 2.ª cuerda. Experimenta con el riff e improvisa tú algunas notas.

GUITARRAS DOUG IRWIN

A principios de la década de 1970, Garcia cada vez estaba menos satisfecho con las guitarras fabricadas en serie. En 1972 conoció a un fabricante de guitarras de Sonoma (California), llamado Doug Irwin, que acababa de hacer su primera guitarra eléctrica (conocida como 001). Garcia la compró por 850 dólares y pidió otra de encargo. En mayo de 1973 recibió esta guitarra, conocida como «Wolf», por la que pagó 1.500 dólares. Dio la 001 de Irwin a un miembro de la banda original de Dead llamado Ramrod. Wolf tenía un mástil de arce, un diapasón de ébano de 24 trastes, un cuerpo de arce «acolchado» rubio Western y un alma hecha de púrpura. La parte electrónica era muy parecida a la de la Strat pero con un Alembic Stratoblaster instalado.

Al mismo tiempo que Irwin entregaba su Wolf, Garcia le encargó otra guitarra y le dijo que el tiempo y el dinero no eran ningún problema. Irwin, evidentemente, le tomó la palabra, y pasó siete años haciendo esta nueva guitarra. Sin embargo, el esfuerzo mereció la pena ya que la nueva guitarra, bautizada con el nombre de «Tiger», se convirtió en el instrumento principal de Garcia desde 1979 a 1990. Tiger pesaba 6 kg, tenía un revestimiento de nácar, un diapasón de ébano sobre un mástil de arce, una parte superior y trasera arqueadas de cocobola, franjas bermellones en el mástil y en el cuerpo, y un núcleo de arce brillante.

La última guitarra que Doug Irwin hizo a Garcia tardó 11 años en hacerla. Entregada en 1990 y apodada con el nombre de Rosebud (por la incrustación del esqueleto bailando de la cubierta) costó 11.000 dólares. Irwin la consideró su obra maestra, una guitarra eléctrica bella que también era un sintetizador de guitarra, con controles MIDI en su interior. Es casi gemela de Tiger, pero mucho más ligera, pesa 5,200 kg. Se ha dejado un hueco para poder albergar un sintetizador Roland GK-2. Garcia pronto empezó a utilizarla con regularidad, sustituyendo a la Tiger.

IZQUIERDA: *Jerry Garcia interpretando un solo con Tiger durante un concierto en 1988. La guitarra fue bautizada con el nombre de «Tiger» por la incrustación en la tapa del compartimiento de la batería y el preamplificador.*

«St. Stephen»

DISCO: *AOXOMOXOA*
LETRAS: **JERRY GARCIA, ROBERT HUNTER, PHIL LESH**
GRABACIÓN: **PACIFIC RECORDERS, CALIFORNIA**
PRODUCTORES: **THE GRATEFUL DEAD**

Es un agradable solo de guitarra de introducción. El sonido es una encantadora mezcla de improvisación de jazz y rock, distintiva en la banda. Todas las notas se encuentran en la parte alta del mástil y en las tres cuerdas primas. Intenta improvisar otras notas en esta zona del mástil de la guitarra. Observa lo que ocurre cuando empiezas a confiar en tu propio oído.

RIFF BÁSICO DE LA CANCIÓN

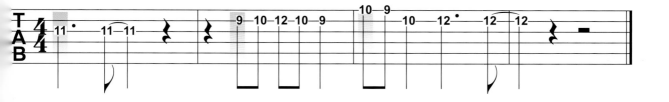

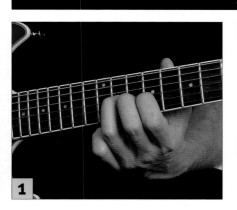

ASÍ ES COMO SE HACE

1 Se muestra al dedo anular en el 11.º traste para empezar el solo. Los demás dedos están bien situados detrás para tocar notas en los trastes más bajos.

2 Toca esta nota en el 9.º traste de la 2.ª cuerda con el dedo índice, dejando libres los dedos medio y anular. Toca suavemente.

3 Para esta nota deja que el dedo medio baje a la 6.ª cuerda para tocar la nota Re en el 10.º traste.

JEFF BECK

1944-
BANDA: **YARDBIRDS**
MAYOR FAMA: **DÉCADA DE 1960**

Jeff Beck es el guitarrista de guitarristas por excelencia. Puede que su nombre no sea tan conocido como el de sus contemporáneos Eric Clapton y Jimy Page, pero si preguntamos a los grandes, nos dirán que cuando está él no hay nadie que le supere. Es un hombre que hace con la guitarra eléctrica lo que es imposible en apariencia. El secreto se encuentra en el modo en el que toca con toda la guitarra; utiliza los dedos en vez de la púa para una mayor rapidez y control sobre el diapasón. Beck añade constantes efectos de volumen y tono para dar forma a las notas que toca, y después estira los sonidos con su experto empleo de la palanca de vibrato.

DERECHA: *Jeff Beck fue un auténtico innovador con la guitarra eléctrica. No sólo experimentó con el estilo, también lo hizo con el sonido, siendo uno de los primeros exponentes de distorsión.*

Beck nació en Wallington, Reino Unido, el 24 de junio de 1944, justo antes de terminar la Segunda Guerra Mundial. Cogió la guitarra cuando todavía era un adolescente, muy inspirado tanto por el jazz como por el rock.

Aprendió con mucha rapidez, y pronto le contrataron de músico de sesión antes de sustituir a Eric Clapton como guitarrista de los Yardbird en 1965. El estilo innovador de Jeff Beck en éxitos como «Heart Full of Soul» y «Shapes of Things» ayudó a influir en el sonido sicodélico de la década de 1960.

En 1967 formó The Jeff Beck Group, lanzando dos discos que araron un surco parecido al de los comienzos de Led Zeppelin, aunque con un éxito comercial bastante menor. Cada vez más impaciente con el formato de rock, Beck cambió de efectos en 1975 en el disco *Blow by Blow*, fusión de jazz instrumental, que, de un modo sorprendente, se convirtió en el mayor éxito de su carrera. Producido por sir George Martin, el disco fusionaba la complejidad del rock progresivo con el jazz y abría así el horizonte para futuros guitarristas instrumentales como Steve Vai y Joe Satriani.

PALANCA DE VIBRATO

La palanca de vibrato o palanca de trémolo es una herramienta que altera el sonido de la guitarra de un modo muy potente. Como unidad de vibración que estira las cuerdas, en realidad, cambia físicamente el sonido que produce la guitarra cuando se toca, no transforma simplemente el sonido después de tocarlo. La palanca de vibrato se remonta a principios de la década de 1950, cuando se fabricó una voluminosa unidad llamada Bigsby para la Epiphone ES-295, utilizada por Scotty Moore. La primera palanca de vibrato integral llegó con la presentación de la Stratocaster de Leo Fender en 1954. En un principio estaba destinada a ser una herramienta que añadiera un poco de vibración a las notas simples y acordes.

Hasta mediados de la década de 1960, los guitarristas no empezaron a experimentar plenamente sus posibilidades. Jimi Hendrix fue quizás el defensor más ardiente de la palanca de vibrato (sólo hay que escuchar su versión de «The Star Spangled Banner»), pero fue Jeff Beck el que más exploró su capacidad. Beck consiguió tocar todas las melodías utilizando la palanca de vibrato e, incluso, combinaría la vibración con los dedos y con la palanca, creando las notas de un modo extraordinario, incluso algunas veces creaba una voz casi humana. Su primer trabajo con la palanca de vibrato es más extraordinario cuando eres consciente de que estas unidades antiguas solían hacer que se desafinara la guitarra con mucha rapidez.

A finales de la década de 1970, Floyd Rose propuso un sistema de cierre doble que solucionaba bastante los problemas de afinación y ha permitido que guitarristas virtuosos (y discípulos de Beck) como Steve Vai y Joe Satriani hagan aparecer extraordinarios efectos con la palanca de vibrato. Observe la aparición de Steve Vai en la película *Crossroads* para ver una demostración impresionante de esta técnica.

IZQUIERDA: *Realmente Jeff Beck puede hacer cantar a una guitarra y la palanca de vibrato es sólo una herramienta de su caja de trucos.*

«I Ain't Superstitious»

DISCO: *TRUTH*
LETRA: WILLIE DIXON
GRABACIÓN: ABBEY ROAD STUDIOS, LONDRES
PRODUCTOR: MICKIE MOST

Un gran riff de blues que emplea notas sólidas en las cuerdas graves. Comenzando en el 8.º traste de la 5.ª cuerda el riff avanza hacia un agradable patrón alternativo en la 4.ª cuerda antes de terminar con notas dobles en el traste 3.º de las cuerdas 4.ª y 5.ª. Toca estas notas con lentitud y firmeza para conseguir ese sonido intenso del blues. Practica notas alternativas en la 4.ª cuerda.

RIFF BÁSICO DE LA CANCIÓN

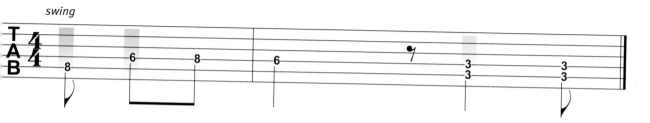

ASÍ ES COMO SE HACE

1 Suena muy bien si utilizas el dedo anular para deslizar esta nota Fa hacia la 5.ª cuerda justo antes de tocarla.

2 Esta parte alterna se mueve entre los trastes 6.º y 8.º. Utiliza el índice y el anular para estas notas. Sigue el ritmo con el pie.

3 Vuelve al traste 3.º de la 5.ª y 4.ª cuerda, utiliza el dedo medio y el anular para sostener las notas Do y Fa. Mantén constante todo el riff.

LA TELE-GIB

La guitarra menos corriente de Jeff Beck fue la llamada Tele-Gib, construida para él por un destacado fabricante de guitarras especializado en pastillas, Seymour Duncan. En 1974, Duncan estaba trabajando en la sección de reparaciones y modificaciones de Fender Soundhouse. Después de observar a Beck tocando, Duncan se hizo una idea de la guitarra que necesitaba Beck. Necesitaba una guitarra que se tocara como una Fender, pero que tuviera el sonido de una Les Paul. Como no existía un instrumento así, Duncan empezó a fabricar uno. Empezó con un cuerpo de una Fender de 1959, le puso un diapasón de arce nuevo e hizo las ranuras del traste a mano, antes de poner trastes de Gibson Les Paul. Luego se puso a la ardua tarea de rebobinar un par de pastillas de doble bobina (*humbuckers*) rotas de la antigua Gibson de 1959. Las pastillas procedían de una vieja Gibson Flying V de 1959 que perteneció a Lonnie Mack. Entre los toques finales se encontraban un botón de palanca de una vieja centralita de teléfonos, mientras que los botones de control de volumen y de tono y la placa de control eran de una antigua Telecaster de la década de 1950. A Jeff le gustó enseguida el instrumento y utilizó la «Tele-Gib» en su disco primordial *Blow by Blow,* que incluía la más excelente interpretación a la guitarra de Beck sin duda: «Cause We've Ended as Lovers».

DERECHA: *Hecha artesanalmente por Seymour Duncan, la guitarra Tele-Gib era una fusión única de Fender y Les Paul. Ésta es una copia de la guitarra de Jeff Beck, también hecha por Duncan.*

«Where Were You?»

DISCO: *GUITAR SHOP*
LETRAS: JEFF BECK, TERRY BOZZIO, TONY HYMAS
GRABACIÓN: THE SOL STUDIO, REINO UNIDO
PRODUCTORES: JEFF BECK, TERRY BOZZIO, TONY HYMAS, LEIF MASES

Este riff se toca en la 2.ª cuerda utilizando los dedos índice, medio, anular y meñique. Es muy bueno para practicar movimientos hacia arriba y hacia abajo en el diapasón sobre una cuerda, y para mejorar tu precisión para tocar solos. Intenta conseguir fluidez entre las notas con todos los dedos. Acostúmbrate a pasar de un traste a otro utilizando un dedo después de otro, luego desciende empleando la misma técnica.

RIFF BÁSICO DE LA CANCIÓN

ASÍ ES COMO SE HACE

1 La tablatura muestra el dedo índice tocando la nota Do sostenida (C#) en el 14.º traste y al dedo anular preparado para tocar Fa sostenida (F#) en el 17.º traste.

2 El dedo índice se desliza simplemente el espacio de un traste hacia Re. De nuevo utiliza el dedo anular para tocar la F# en el 17.º traste.

3 Éste es un maravilloso pasaje descendente que puedes tocar entre los trastes 17.º y 12.º. Intenta emplear dedos diferentes para descubrir cuáles se adaptan mejor a ti.

MARC BOLAN

1947-1977
BANDA: **TYRANNOSAURUS REX, T REX**
MAYOR FAMA: **DÉCADA DE 1970**

Marc Bolan, vocalista y guitarrista de T Rex, fue una de las estrellas de glam rock originales. Durante dos años, a principios de la década de 1970, daban la bienvenida a los T Rex con las escenas de histeria en masa más salvajes desde la Beatlemanía. Y aunque a Marc se le consideraba vocalista y compositor de letras, es su peculiar modo de tocar riff con su Stratocaster blanca lo que mantenía el éxito de los sencillos de la banda, como los clásicos del pop «Get It On» y «Telegram Sam».

Marc Bolan estuvo mucho tiempo en la esfera del pop antes de que le llegara, por fin, su momento. Mark Feld nació en Hackney, al este de Londres, el 30 de septiembre de 1947. Bolan dejó el colegio a los 14 años y formó su primera banda, Suzie and the Hula-Hoops en 1959.

Después de grabar algunas maquetas, Bolan firmó con Decca Records como solista en agosto de 1965. Una canción titulada «The Wizard» salió como sencillo, pero fue un fracaso. Los siguientes sencillos tuvieron una suerte parecida.

Más tarde, después de un breve paso por una banda llamada John's Children, Bolan formó su propia banda, Tyrannosaurus Rex, en julio de 1967. La banda sacó varios álbumes psicodélicos con toques de folk, atrajeron la atención de DJ John Peel y tuvieron menor éxito con «Deborah», pero mantuvieron todavía un acto de culto.

Todo ello cambió en 1970 cuando la banda abrevió el nombre por el de T Rex y sacó un sencillo «Ride a White Swan». Aquí evolucionaron a un sonido más formado, más pop, que mantenía la guitarra eléctrica de Marc. El éxito de un sencillo siguió a otro durante los dos años siguientes. Por desgracia, a partir de 1974 su popularidad descendió, y tres años más tarde Marc Bolan moría en un accidente de tráfico. Aunque algunos de sus contemporáneos han sido olvidados, hoy todavía se mantienen los clásicos pop-rock con base de riff de los sencillos de Bolan que fueron un éxito.

DERECHA: *A principios de la década de 1970, el aspecto de Marc Bolan en programas de televisión, como el de la BBC* Top of the Pops, *le ayudó a promocionar su imagen de ídolo de adolescentes y superestrella del rock.*

LA FENDER STRATOCASTER BLANCA DE BOLAN

La guitarra que más se asocia a Marc Bolan es, sin duda, su Fender Stratocaster blanca de finales de la década de 1960. En realidad tenía dos de estas guitarras, una de ellas se caracterizaba por llevar una etiqueta adhesiva esmaltada de un tejido fino con forma de gota en la parte superior del cuerpo. Compró la primera de las guitarras en 1969 y la utilizó para su siguiente disco *Beard of Stars,* lanzado en marzo de 1970. Se rumorea que «Ride a White Swan», el sencillo que finalmente le lanzó a la fama, era en realidad un tributo a su amada Strat blanca.

ABAJO: *Bolan actúa con su banda T Rex en un especial de Navidad para la televisión en diciembre de 1972. Observa el adhesivo esmaltado en forma de gota de su Stratocaster blanca.*

Bolan era amigo de Eric Clapton a finales de llos 60, por tanto, es más que probable que fuera Clapton el que le convenciera de comprar una Strat. El sonido de la Stratocaster de Bolan, sin embargo, es, sin duda, suyo propio. En parte se debe al uso de la cejilla. En algunas de sus primeras canciones, se puede ver la cejilla en el 6.º, o incluso, en el 7.º traste. Dando a la guitarra una sonido casi igual que el de la mandolina. También prefería puntear con los dedos en vez de con una púa. Según su productor, durante mucho tiempo, el legendario Tony Visconti, Marc dio a David Bowie una de las dos Stratocaster blancas después de haber realizado un programa de televisión los dos juntos, solo unas semanas antes de la muerte de Bolan. La otra, por desgracia, fue sustraída cuando entraron a robar a su casa poco tiempo después de morir.

«Get It On»

DISCO: *ACOUSTIC WARRIOR*
LETRA: MARC BOLAN
GRABACIÓN: WALLY HEIDER, LOS ÁNGELES, CALIFORNIA; ADVISION, LONDRES; TRIDENT, LONDRES
PRODUCTOR: TONY VISCONTI

También conocida como «Bang a Gong (Get it On)», esta canción comienza con un gran riff de boggie en el 2.º traste de la 5.ª cuerda. Escucha la grabación para conseguir bien el ritmo. Practica tocando la nota Do sostenido (C#) en el 4.º traste con el dedo anular o el meñique. Coloca el índice en el 2.º traste de la 5.ª cuerda. Intenta esta postura y movimiento en la 4.ª cuerda, luego vuelve a la 6.ª.

RIFF BÁSICO DE LA CANCIÓN

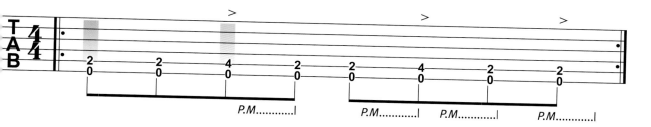

ASÍ ES COMO SE HACE

1 Utiliza el dedo índice para tocar la nota Si en el 2.º traste de la 5.ª cuerda, luego utiliza el medio o el anular para tocar la nota alternativa en el 4.º traste de la 5.ª cuerda.

2 Se muestra la nota Do# tocada en el 4.º traste de la 5.ª cuerda. Practica tu ritmo tocando este riff para conseguir esa clásica sensación de boggie de T Rex.

DALLAS RANGEMASTER

Dallas Rangemaster, de fabricación británica, era un pedal de efectos que Marc Bolan utilizaba con frecuencia. Era un primer ejemplo de unidad de realce de medios, diseñada para potenciar agudos a los oscuros amplificadores británicos de la época.

La demanda de estas unidades había aumentado cuando la guitarra empezó a figurar como instrumento principal, y no sólo como una parte de la sección rítmica. El Rangemaster proporcionaba un sonido nuevo, más penetrante. Este tipo de pedal es algo diferente al de distorsión, aunque no ofrece un realce limpio, sino que modifica un poquito el sonido. Excita ciertas frecuencias y ayuda al amplificador a crear una distorsión rica de válvula. El pedal da al sonido una distorsión crujiente y la hace cálida, gracias al empleo de transistores de germanio.

Uno de los primeros usos clásicos del Rangermaster se realizó en el trascendental álbum de John Mayall y los Bluesbreakers. En ese disco, Eric Clapton utilizó su famosa combinación de Les Paul y amplificador Marshall. Menos conocido es que en algunos cortes del disco se realzaba el sonido por medio de un Dallas Rangemaster. El Dallas Rangemaster original no era exactamente un pedal, sino una unidad de mesa que sólo tenía un botón de encendido y apagado y un control de volumen.

El ejemplo de Clapton inspiró a otros muchos guitarristas a experimentar con el Rangemaster: Brian May utilizaba una versión modificada en casi todas las partes de guitarra que tocó con Queen, y es así como consiguió ese peculiar sonido con su Red Special y el AC30.

Los primeros guitarristas de heavy metal fueron admiradores especiales de la unidad. Ritchie Blackmore de Deep Purple la utilizaba con frecuencia, y otro clave fue Tony Iommi de Black Sabbath. Utilizaba el Rangemaster para aumentar la señal de sus Gibson SG en sus amplificadores Laney, y creó lo que es, quizá, el sonido definitivo de la guitarra heavy metal.

DERECHA: *Como artista, a Bolan le interesaban tanto los admiradores más antiguos que apreciaban su primera música, más mística, como los oyentes nuevos atraídos por los riffs poppy de cortes como el de «Twentieth Century Boy».*

«Ride a White Swan»

DISCO: **VARIAS RECOPILACIONES**
LETRA: **MARC BOLAN**
GRABACIÓN: **DATO NO DISPONIBLE**
PRODUCTOR: **TONY VISCONTI**

Éste es un bello riff solo, que se toca con ritmo desde el principio de la canción. Puntea estas notas de forma individual y recuerda utilizar la técnica de ligado ascendente entre las notas del 4.º y 6.º trastes. Intenta tocar con la grabación para que tu solo acompañe al ritmo. Practicar este golpe es perfecto para tocar entre cuerdas graves y agudas, y mejorará tu interpretación de solos en general.

RIFF BÁSICO DE LA CANCIÓN

ASÍ ES COMO SE HACE

1 La primera parte del riff muestra al dedo índice pisando el 4.º traste de la 4.ª cuerda y el ligado ascendente con el dedo anular o meñique en el 6.º traste.

2 Baja el dedo índice hasta la nota La bemol en el 4.º traste de la 1.ª cuerda para tocar la siguiente parte del riff, deja que se oiga esta nota.

3 Finalmente utiliza el dedo índice para pisar el 4.º traste de la 2.ª cuerda y el anular o meñique para el ligado ascendente hacia el 6.º traste de la 2.ª cuerda.

JAMES TAYLOR

1948-
BANDA: **SOLISTA**
MAYOR FAMA: **FINALES DE LA DÉCADA DE 1960 Y PRINCIPIOS DE LA DÉCADA DE 1970.**

James Taylor inventó el género moderno de cantautor: el intérprete de baladas introspectivas con sólo una guitarra acústica por compañía. Anteriormente, por supuesto, había habido cantantes a los que les acompañaba una guitarra pero generalmente habían sido artistas empedernidos de folk que seguían la tradición de Woody Guthrie.

Lo que hizo James Taylor fue tomar el estilo instrumental del cantante de folk y llevarlo hacia dentro, rechazando las canciones protesta en favor de las canciones de amor. Con «Fair and Rain» y «Sweet Baby James», Taylor tuvo éxito al poner banda sonora a las vidas y amores de la generación posterior a Woodstock de principios de la década de 1970. Aunque sus letras clásicas y su suave voz es lo que primero se asocia a James Taylor, sus acompañamientos acústicos punteados con los dedos han tenido también una enorme influencia en generaciones de compositores de letras que tocaban la guitarra.

James Taylor nació el 12 de marzo de 1948 en Boston, es el segundo hijo de una familia musical y rica. Posteriormente, la familia se trasladó a Chapel Hill (Carolina del Norte), donde el padre de James fue decano de la Escuela de Medicina. Taylor estudió violonchelo cuando era niño, pero cogió su primera guitarra cuando tenía 12 años. Después de sufrir restricciones en un internado y más tarde en un hospital psiquiátrico tras de una depresión, se trasladó a Greenwich Village, lugar donde empezó a actuar.

Su primer cambio fue cuando firmó contrato con la Apple de los Beatles en 1968. Su gran ruptura vino con su segundo disco *Sweet Baby James*, lanzado en Warners en 1969. Desde entonces, su carrera musical nunca ha mirado atrás. Álbum tras álbum ha sido oro o platino, y se han vendido más de diez millones de copias de una colección de grandes éxitos (*Greatest Hits*). Continúa vendiendo muchos discos y ha descubierto el don de envejecer con elegancia.

DERECHA: *James Taylor es un maestro de las complicadas melodías de blues y de rock. Su estilo de punteo con los dedos hace que sea difícil imitarle.*

ESTILO DE GUITARRA DE JAMES TAYLOR

La interpretación a la guitarra de James Taylor gira en torno al punteo con los dedos. Apenas toca bloques de acordes. En vez de ellos emplea complejos patrones de punteo con la mano derecha con peculiares frases de bajo punteadas con el dedo pulgar.

Su estilo se basa en el estilo de punteo de dos dedos y el pulgar de Merle Travis, aunque con el paso de los años lo ha acomodado considerablemente y siempre emplea tres dedos en vez de dos. A diferencia de los muchos guitarristas que puntean con los dedos, Taylor no utiliza tampoco el pulgar como púa. Únicamente deja crecer la uña del pulgar igual que las demás uñas, aunque mientras permite que las demás sobresalgan de la punta del dedo unos 2 cm, deja crecer a la uña del pulgar un poco más y luego la curva alrededor de la línea de la carne. Tal es la aversión de Taylor por las púas, que si se le rompe una uña se pega una artificial antes que usar una púa.

Se agradece que aunque el trabajo de la mano derecha de Taylor sea complejo y difícil de imitar, el trabajo de su mano izquierda es sencillo relativamente. Siempre emplea una afinación estándar, con la desviación ocasional en Sol (Re-Sol-Re-Sol-Si-Re) (DGDGBD), y siente un especial cariño por los acordes abiertos (especialmente desde un accidente que le

ABAJO: *James Taylor da una sesión de acústica. La guitarra acústica favorita de Taylor es la Olsen SJ.*

provocó daños en un nervio del dedo índice de la mano izquierda, y que le hacía difícil tocar ciertos acordes). Taylor confía plenamente en la cejilla, algunas veces incluso utiliza diferentes posiciones de cejilla dentro de la misma canción. «One, Your Smiling Face» tiene, en realidad, tres posiciones de cejilla diferentes, por tanto cuando la toca en directo la cejilla estaría al principio en el 2.º traste, pasaría al 4.º y terminaría en el 6.º. Al preguntarle el motivo por el que utiliza tanto la cejilla, el modesto Taylor comentó una vez: «Es lo que realmente demuestra el intérprete tan rudimentario que soy».

«You've Got a Friend»

DISCO: *MUD SLIDE SLIM & THE BLUE HORIZON*
LETRA: CAROLE KING
GRABACIÓN: CRYSTAL STUDIOS, HOLLYWOOD (CALIFORNIA)
PRODUCTOR: PETER ASHER

Para esta canción hemos utilizado una cejilla en el 2.º traste para conseguir la afinación del sonido. Esta melodía suena maravillosamente empleando la técnica de rasgueo o punteo con el dedo en una guitarra acústica. Muévete con suavidad entre los acordes para lograr una sensación de relajación y experimenta rasgueos con el dedo. Prueba la cejilla en otras canciones para encontrar la afinación que mejor se adapte a ti. Practica el punteo de arpegios en otros acordes.

ACORDES BÁSICOS DE LA CANCIÓN

G

C

D^{7}sus^4

(G: Sol, C: Do, D: Re)

Cejilla en 2.º traste

ASÍ ES COMO SE HACE

1 Utiliza los dedos medio, anular y meñique y deja libre el índice para el traste 1.º de la 2.ª cuerda del acorde siguiente.

2 Esta fotografía muestra la postura del acorde C (Do). Observa que el dedo meñique toca la nota Sol en la 1.ª cuerda. Esto da al acorde un toque melódico maravilloso.

3 Toca este acorde utilizando el índice, el medio y el meñique en la 1.ª cuerda. Practica utilizando el dedo meñique en otros acordes.

LA OLSON SJ DE JAMES TAYLOR

En sus primeros días, James Taylor prefería las guitarras Gibson, y empleó una J-50 para gran parte de su material. Luego John McLaughlin le presentó a un luthier llamado Mark Whitebook que le fabricó una serie de guitarras acústicas, siguiendo el modelo del estilo «dreadnought» de Martin y equipadas, generalmente, con pastillas Takamine.

Sin embargo, Whitebook se retiró del negocio de la fabricación de guitarras y desde 1989 Taylor ha tratado con un nuevo luthier, el fabricante de guitarras de Minnesota, James Olson. Olson dejó una guitarra en el camerino de James Taylor, cuando iba a tocar en una actuación local, y Taylor le llamó al día siguiente.

A Taylor le encantaba la guitarra, pero quería una versión sin cubrir con un mástil de la misma dimensión. Taylor cogió la guitarra entendiendo que él la cambiaría cuando terminara la nueva guitarra. Sin embargo, una vez que estuvo terminada, Taylor decidió mantener la otra guitarra también, y mientras tanto, encargó una Olson cubierta para acabar su colección. Las tres guitarras siguen en activo en el escenario, pero considera que la SJ es su instrumento principal y la ha utilizado en todos los discos que ha grabado desde que la adquirió.

Para la SJ, Olson decidió utilizar palo de rosa indio oriental para la parte posterior y costados de la guitarra. Luce una roseta y filete de oreja de mar, pero las sencillas incrustaciones del diapasón le quitan importancia. En lo único que se diferencia la guitarra personal SJ de Taylor del diseño estándar de Olson es que el diapasón está laminado con palo de rosa en vez de caoba. Taylor instaló una pastilla L. R. Baggs LB-6 y cuerdas John Pearse.

IZQUIERDA: *James Taylor y Carole King mantuvieron una estrecha relación de trabajo, colaborando en varios proyectos.*

«Sweet Baby James»

DISCO: *SWEET BABY JAMES*
LETRA: **JAMES TAYLOR**
GRABACIÓN: **SUNSET SOUND STUDIOS, LOS ÁNGELES**
PRODUCTOR: **PETER ASHER**

Éstos son los principales acordes que utilizó James Taylor en su clásico «Sweet Baby James». Acostúmbrate a moverte entre diferentes acordes con soltura y no temas experimentar añadiendo o quitando una nota aquí o allí. Emplea un estilo de rasgueo relajado en una guitarra acústica para esta melodía. Practica el movimiento entre estos acordes hasta lograr soltura y poder integrarlos en tu repertorio. Intenta cantar mientras tocas.

ACORDES BÁSICOS DE LA CANCIÓN

G   Em⁷   A⁷sus⁴

(G: Sol, E: Mi, A: La)

ASÍ ES COMO SE HACE

 1 Utiliza el dedo índice para la nota Si en el 2.º traste de la 5.ª cuerda. El dedo medio tocaría la nota Sol en la 6.ª cuerda.

 2 Para este acorde escalonado, tus dedos recorren el diapasón, desde el índice hasta el meñique, para tocar las cuatro notas que se muestran en el diagrama del acorde. Mantén la 3.ª cuerda al aire.

 3 El dedo medio toca la nota Mi en la 4.ª cuerda, el anular y el meñique pisarán la 1.ª y 2.ª cuerda en el traste 3.º.

CARLOS SANTANA

1947-
BANDA: **SANTANA BLUES BAND**
MAYOR FAMA: **DESDE LA DÉCADA DE 1970 HASTA LA ACTUALIDAD**

Carlos Santana es el más puramente melódico de todos los grandes guitarristas de rock. Su técnica fluida, controlada, consigue esa soltura única, como en su clásica interpretación de «Black Magic Woman» o su gran éxito reciente, titulado «Smooth». En otras ocasiones, suele mantener la atención del oyente mientras trabaja con un jazz rock demasiado complejo (como en el disco inspirado en John Coltrane que grabó con ese guitarrista legendario amigo John McLaughlin, *Love Devotion Surrender*).

DERECHA: *Carlos Santana es el guitarrista más representativo del sonido latino, aunque sus influencias musicales van más allá de la música latinoamericana indígena.*

Carlos Santana nació el 20 de julio de 1947 en Autlan De Navarro (México) donde pasó sus primeros años. Su padre era violinista mariachi y Carlos se empezó a interesar por este instrumento a los cinco años, pero a los ocho lo cambió por la guitarra. Posteriormente la familia se trasladó a Tijuana, donde empezó a tocar en clubes y bares. Luego, a principios de la década de 1960, la familia se trasladó a San Francisco donde terminó la enseñanza secundaria en 1965. Al año siguiente formó The Santana Blues Band, un grupo de músicos de la Bay Area. Aunque por el nombre era una banda de blues, destacaron de sus competidores al incorporar a su sonido elementos de música latina y jazz. Pronto firmaron contrato con Columbia Records y lanzaron su primer álbum en 1969. Fue un éxito al instante, a continuación la banda actuó en Woodstock, y dieron la talla en varios discos hasta llegar a *Abraxas* de 1970.

Ese álbum mostraba todas las habilidades de Santana. Había una mezcla de diversos estilos por ejemplo de salsa como en «Oye cómo va», jazz-rock con sabor latino como en «Samba pa ti», o melancólicos blues-rock como en su clásica versión de «Black Magic Woman» de Fleetwood Mac, lo que mantenía la unidad de todo era el peculiar sonido y tono de los solos de guitarra de Carlos Santana.

RED GUITAR

Durante la década de 1970, el mercado de la guitarra eléctrica hervía y era casi una guerra entre los dos grandes, Gibson y Fender. Estos dos grandes fabricantes hicieron un buen trabajo produciendo guitarras en serie para el mercado, pero los guitarristas que buscaban algo con un poco más de clase, pero sin tener que pagar una fortuna por una guitarra hecha de encargo, no tenían demasiada elección. Entonces apareció Paul Reed Smith. El joven visionario empezó a fabricar guitarras en su ático de Anápolis (Maryland). Fabricó varios prototipos e hizo todo lo posible por conseguir que los músicos le visitaran y las probaran. La primera persona que le tomó en serio fue Carlos Santana, a quien le encantó la extraordinaria atención que prestaba al detalle y la excelente calidad de las guitarras de Smith. Su apoyo ayudó a Smith a sacar guitarras PRS en un negocio cada vez más floreciente en la cumbre del mercado.

El mismo Santana ha tenido varias guitarras PRS en estos años, pero su favorita, claramente, es la llamada Red Guitar, hecha en la primera fábrica PRS de Anápolis. Luce un diapasón de palo de rosa brasileño y cuerpo de caoba, más una tapa de arce con dibujos sinuosos de la costa oriental. Puedes ver su foto en el dorso del disco multiplatino de Santana, *Supernatural*.

Hay también varios modelos PRS aprobados disponibles para el público en general (sólo que no se puede esperar que se caractericen por llevar el palo de rosa brasileño que utilizó Smith). PRS también proporciona pastillas aprobadas por Santana, diseñadas cuidadosamente para ofrecer a los devotos la oportunidad de recrear la soltura del sonido de este guitarrista.

DERECHA: *La Red Guitar es un bello instrumento de guitarras PRS, hecha de excelente palo de rosa, caoba y arce. Es fácil comprobar por qué es la guitarra favorita de Santana.*

«She's Not There»

DISCO: *MOONFLOWER*
LETRA: ROD ARGENT
GRABACIÓN: CBS STUDIOS, SAN FRANCISCO (CALIFORNIA)
PRODUCTOR: CARLOS SANTANA

Éste es un gran riff repetitivo tocado en cuatro cuerdas. Puedes probar golpes ascendentes y descendentes con la púa para variar la rapidez del ritmo. Intenta moverte con soltura entre las diferentes cuerdas para dar al riff un agradable sonido fluido. Escucha la canción para comprobar tu coordinación. Una que vez que te sientas relajado y confiado para tocar este riff, emplea la técnica del deslizamiento (slide) en las notas para acentuar la melodía.

RIFF BÁSICO DE LA CANCIÓN

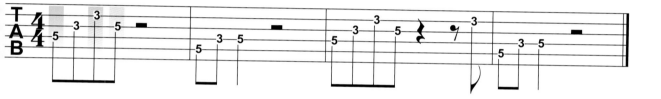

ASÍ ES COMO SE HACE

1 El dedo anular pisa el 5.º traste de la 4.ª cuerda y el dedo índice se encuentra en el traste 3.º de la 3.ª cuerda.

2 Aquí el índice ha bajado a la 2.ª cuerda para tocar la nota Si en el traste 3.º.

3 Sube el dedo anular para tocar la nota Do que se encuentra en el 5.º traste de la 3.ª cuerda.

Discos famosos

El trabajo con el que debutó The Santana Band lleva su nombre, y se encuentra dentro de la segunda ola de artistas de rock ácido de San Francisco, mantenido a flote por las ardientes actuaciones en directo del grupo, entre ellas Woodstock. Abraxas *se caracteriza por tener los dos cortes más conocidos de Santana, «Black Magic Woman» y «Oye cómo va», mientras que en* Supernatural *vemos a Carlos Santana encabezar las listas 29 años después.*

DISCO: *SANTANA*
AÑO: 1969
GRABACIÓN: PACIFIC RECORDING, CALIFORNIA
PRODUCTOR: SANTANA

DISCO: *ABRAXAS*
AÑO: 1970
GRABACIÓN: PACIFIC RECORDING, CALIFORNIA
PRODUCTOR: SANTANA

DISCO: *SUPERNATURAL*
AÑO: 1999
GRABACIÓN: FANTASY STUDIOS, CALIFORNIA
PRODUCTOR: SANTANA

DERECHA: *Carlos Santana se mantiene fuerte todavía. Hasta la fecha ha vendido más de 50 millones de discos y de su concierto han disfrutado casi 30 millones de fans.*

INFORMACIÓN DE LA BANDA

THE SANTANA BAND
FORMACIÓN: 1966
DISCOS: 36
TOTAL VENTAS DE DISCOS: 50 MILLONES

FORMACIÓN ORIGINAL
LÍDER: CARLOS SANTANA
TECLADOS: GREGG ROLIE
BAJO: GUS RODRIGUES
VOCALES: GREGG ROLIE
BATERÍA: ROD HARPER
Más de 60 músicos han tocado con la banda desde 1966.

«Smooth»

DISCO: *SUPERNATURAL*
LETRA: **ROB THOMAS, ITAAL SHUR**
GRABACIÓN: **FANTASY RECORDING STUDIOS, BERKELEY, CALIFORNIA**
PRODUCTORES: **CARLOS SANTANA, CLIVE DAVIS**

Cuanto más subes en el mástil, menor es la distancia entre cada traste. Si tocas riff en la parte alta del mástil, te acostumbrarás a las diferencias de anchura que existen entre los trastes. Tal vez sea necesario también que adaptes la postura de tu cuerpo cuando te mueves por los trastes altos y bajos. Encuentra la posición que te resulte más cómoda. Para tocar este riff, emplea la técnica de ligado ascendente con los dedos índice y anular. El índice puede cubrir notas en el 12.º traste.

RIFF BÁSICO DE LA CANCIÓN

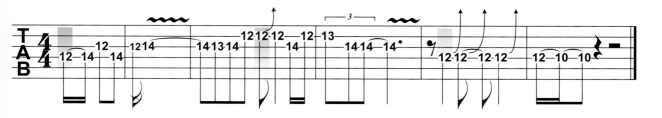

ASÍ ES COMO SE HACE

1 Intenta que el sonido de ligado ascendente sea suave manteniendo con firmeza el dedo índice en la nota original y pisando el 14.º traste con el dedo anular.

2 Pisa la 2.ª cuerda con el dedo índice y asegúrate de que el anular está bien colocado para tocar la nota La en el 14.º traste de la 3.ª cuerda.

3 Practica el movimiento entre las cuerdas agudas y graves. Utiliza el dedo índice para tocar la octava en Re en el 12.º traste de la 4.ª cuerda.

RITCHIE BLACKMORE

1945-
BANDA: **DEEP PURPLE, RAINBOW**
MAYOR FAMA: **DÉCADA DE 1970**

Ritchie Blackmore es la personificación del dios de la guitarra de rock duro, un humilde y modesto hombre vestido de negro con una Strat colgada. Su derecho a la fama se puede deber a haber escrito el definitivo riff para la guitarra rock en «Smoke on the Water», pero su verdadera importancia como guitarrista yace en el modo de incorporar influencias clásicas, incluso country, a su interpretación para crear un estilo rock duro. Este estilo es completamente original, y suena de un modo bastante diferente al sonido de los guitarristas orientados al blues como Clapton o Hendrix.

DERECHA: *Con Deep Purple, Ritchie Blackmore fue el pionero del sonido heavy metal, combinando ritmos potentes con los solos y melodías más vivos.*

Blackmore nació el 14 de abril de 1945 en Weston-super-Mare (Reino Unido). Su primera guitarra fue una Framus, una guitarra española fabricada en Alemania. Tomó clases de guitarra clásica durante un tiempo, pero la influencia del rock'n'roll pronto le convenció para pasarse a la eléctrica. Entre sus primeras influencias se encuentran Duane Eddy, Big Jim Sullivan (guitarrista de sesión número uno de Reino Unido durante la década de 1960) y Hank Marvin, quien estuvo al frente del legendario grupo británico de la década de 1960 The Shadows. El verdadero cambio, sin embargo, se produjo cuando descubrió a punteadores de country de la calidad de Chet Atkins. Le asombró la rapidez y la destreza de la interpretación de Atkins, y empezó a practicar ocho horas al día con el fin de adquirir rapidez en el punteo y técnicas para crear el riff de notas dobles que forman la base de su estilo actual.

Ritchie tocó en varios grupos durante su adolescencia. Dejó el colegio a los 15 años, trabajó de aprendiz de mecánico de radio en las cercanías del aeropuerto de Londres y luego tocó con Screaming Lord Sutch. Cuando cumplió los 16, su devoción y consiguiente dominio del riff rápido y complejo le llevaron a trabajar en sesiones, compartiendo con frecuencia fechas de estudio con Jimmy Page. Finalmente, en marzo de 1968, Blackmore se convirtió en el miembro fundador de Deep Purple.

Al principio la banda tocaba pop psicodélico, pero al unirse el nuevo vocalista Ian Gillan, pronto se convirtieron en roqueros duros, proporcionando a una nueva generación prodigiosos riffs como el de «Black Night». Blackmore describió una vez la canción como «un timo total. Robé el riff del disco de Ricky Nelson, *Summertime*». Otro clásico fue «Smoke on the Water», escrito después de que la banda fuera a ver tocar a Frank Zappa en Montreux y se incendiara el lugar.

MAGNETÓFONO DE CINTA AIWA

La unidad de efectos más conocida de Ritchie es el magnetófono de bobina abierta utilizado tanto en estudio como en directo. Actúa como una unidad de ecos y preamplificador. Presentó el Aiwa en la gira Burn de 1974. En un principio, el magnetófono tenía como fin actuar como una unidad de demora, ya que el uso de los grabadores de cinta con carrete abierto para producir ecos era una técnica bastante común en la época. Mike Oldfield utilizó bastante el

AMPLIFICADORES ENGL

Durante muchos años, Blackmore tocó sus guitarras (primero una Gibson y luego una Fender Strat) con amplificadores Marshall. Incluso convenció a Jim Marshall para que le fabricara un amplificador de encargo, alegando que iba a ser el amplificador Marshall más potente que había hecho nunca. La mayoría de los guitarristas se hubieran quedado satisfechos, pero Blackmore no descansa, y todavía no estaba del todo contento.

Pensó que el sonido sólo funcionaba a pleno volumen. Si sonaba más bajo, pensaba que sonaba débil. Compensaba esta deficiencia percibida utilizando su preamplificador magnetófono Akai que enriquecía el sonido medio, pero todavía se sentía insatisfecho. Posteriormente, a principios de la década de 1990, mientras tocaba en algunos clubes pequeños, probó un amplificador Engl alemán, que utilizaba la

tecnología tradicional de tubo de válvula, y se sorprendió al darse cuenta de que había descubierto el amplificador de sus sueños. Esto supuso un gran empuje para la pequeña empresa alemana fundada en la década de 1980. Desde entonces han seguido fabricando un modelo Ritchie Balckmore basado en un diseño clásico, probado, equipado también de otros elementos innovadores. Por ejemplo, puedes variar la cantidad de crujido de los dos canales Clean y Lead por medio del interruptor Gain-Boost. También las dos frecuencias del Gain (Lo y Hi) están equipadas de control de volumen, o puedes activar Master A o Master B por medio del conmutador del pedal.

IZQUIERDA: *Richie Blackmore dio muchas vueltas antes de encontrar su amplificador ideal y lo descubrió en el amplificador de tubo y válvula Engl.*

«Smoke on the Water»

DISCO: *MACHINE HEAD*
LETRA: IAN GILLAN, RITCHIE BLACKMORE, IAN PAICE, JON LORD, ROGER GLOVER
GRABACIÓN: MONTREUX CASINO, THE GRAND HOTEL, SUIZA
PRODUCTOR: DEEP PURPLE

Son fantásticos acordes de quinta que se emplean con frecuencia en melodías heavy metal. Como los acordes de 12 compases del rock' n' roll, puedes mover esta postura por el diapasón para oír ecos de muchas grandes canciones de rock. ¡Pon el amplificador a «11» y disfruta! Los acordes de quinta han de ser tocados con fuerza; aprende a deslizarlos subiendo y bajando por el diapasón. Aprovecha el sonido del slide para acentuar la melodía.

RIFF BÁSICO DE LA CANCIÓN

ASÍ ES COMO SE HACE

1 Coloca en esta postura los dedos índice, anular y meñique, intentando mantenerla siempre igual. Sostén el acorde con firmeza mientras los subes y bajas.

2 Ésta es la postura anterior después de subir cinco trastes. Intenta hacer un slide que forme parte del riff y experimenta ritmos diferentes con la púa.

3 La postura se encuentra ahora en el 8.º traste. Desde aquí haz un slide hacia el 7.º traste como parte de esta melodía.

WAH-WAH

El pedal wah-wah es el artilugio que creó el efecto «wakka wakka» tan querido por Jimi Hendrix y por muchos guitarristas de principios de la década de 1970. Ritchie Blackmore estuvo al frente de este sonido, aunque ahora ya no está tan de moda.

ARRIBA: *Varios pedales colocados a los pies de un guitarrista pueden resultar más una distracción que una ventaja, pero Ritchie Blackmore utilizaba sus sonidos sólo para realzar la pieza que estaba tocando.*

Los primeros sonidos tipo wah se podrían encontrar en discos de country de finales de la década de 1950 y principios de la de 1960. Sin embargo, no se conseguían por medio de unidades de efectos independientes, sino que el intérprete simplemente manipulaba el botón de tono. Vox fue la primera empresa que tuvo éxito comercial con el wah. Llegó de un modo accidental, cuando probaban un oscilador para un amplificador. El sonido hizo que la gente corriera a ver qué clase de efecto era aquel, y Vox se dio cuenta de que el invento iba a tener éxito.

Poco después, Vox sacó al mercado estadounidense el clásico CryBaby Wah, y tocar la guitarra ya no fue lo mismo. Durante los años siguientes Vox probó también variaciones diferentes del wah, como el wah bajo o el wah distorsionador. Surgió una legión de imitadores. A finales de los años 60 había probablemente 40 ó 50 fabricantes diferentes que hacían pedales wah-wah a ambos lados del Atlántico. Algunos de los nombres más conocidos eran Marshall, DeArmond, Sound City, Colorsound, Gibson, Fender, Gretsch y Kay. Muchos de estos aparatos ofrecían sonidos extras como los de distorsión, de sirenas, de resaca del mar, de tornados, etc. A medida que se terminaba la década de 1970, el efecto wah se iba pasando de moda y muchos fabricantes cayeron con él también. Para escuchar el auténtico wah-wah en rock duro, escucha la interpretación realizada por Ritchie Blackmore en *Deep Purple in Rock*.

mecanismo de carrete abierto en *Tubular Bells*. El efecto eco procede de la demora entre la grabación y la reproducción del magnetófono en modo monitor para producir la demora. Si el grabador puede hacerlo, conecta la guitarra y ajusta el canal izquierdo para controlar la señal grabada y el canal derecho para la señal original. Cuanto más rápida va la cinta, mas corto es el eco/demora. Sin embargo, como descubrió Blackmore, estos grabadores de cinta con carrete abierto, con una electróni-

ca de válvulas, se podía utilizar de preamplificador de guitarras, además de unidades de eco. Lindsey Buckingham utilizaba de amplificador un magnetófono Sony cuando estaba con Fleetwood Mac. Empleaba el preamplificador para dar al sonido un efecto más distorsionado. Después de haberlo probado con éxito, decidió utilizarlo en el escenario junto al magnetófono Aiwa. Conectaba el Aiwa entre la guitarra y el amplificador y utilizaba un pedal para controlar el efecto que deseaba.

«Black Night»

DISCO: *DEEP PURPLE IN ROCK*
LETRA: IAN GILLAN, RITCHIE BLACKMORE, IAN PAICE, JON LORD, ROGER GLOVER
GRABACIÓN: DATO NO DISPONIBLE
PRODUCTOR: DEEP PURPLE

Esta tablatura muestra el riff punteado en las cuerdas graves, esto proporciona un gran sonido heavy metal. Utiliza el índice y el anular para pisar las notas en el diapasón. Practica el movimiento entre las tres cuerdas graves (4.ª, 5.ª y 6.ª). Toca lentamente, luego aumenta la rapidez una vez que te encuentres cómodo. Alterna el uso del dedo índice y el anular y acostúmbrate a moverte entre cuerdas graves. Cada nota de este riff cuenta, por tanto tócalas todas.

RIFF BÁSICO DE LA CANCIÓN

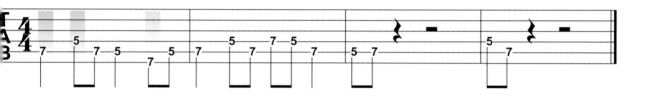

ASÍ ES COMO SE HACE

1 Emplea la técnica del enmudecimiento para interrumpir las notas antes de tocar la siguiente. Esta técnica te ayudará a acentuar los riffs de heavy metal. Utilízala en otras canciones.

2 Baja a la 4.ª cuerda con el dedo índice. Con práctica serás capaz de moverte fácilmente entre estas notas que están separadas sólo por dos trastes.

3 El dedo anular tocaría esta nota en la 6.ª cuerda, cada nota sonaría alta y fuerte. Recuerda que la guitarra y el bajo lideran la banda en este riff.

RITCHIE BLACKMORE

ARRIBA: *Ritchie Blackmore se convirtió en una de las figuras más reconocidas de Deep Purple, demostrando cuánto había cambiado el estatus de los guitarristas solistas desde la década de 1950. Sin embargo, tuvo problemas emocionales con un componente de la banda y, finalmente, se marchó en 1994.*

«Since You've Been Gone»

DISCO: *DOWN TO EARTH* (RAINBOW)
LETRA: RUSS BALLARD
GRABACIÓN: LE CHATEAU, PARÍS (FRANCIA)
PRODUCTOR: ROGER GLOVER

Esta melodía emplea bellos acordes de quinta en la introducción (observa de nuevo la separación de dos trastes entre las notas para producir ese sonido de acorde de quinta tocado con fuerza). Practica técnicas de rasgueo subiendo y bajando para crear patrones de ritmo interesantes. Necesitarás encontrarte cómodo cuando muevas estas posturas en el diapasón. Utiliza grandes golpes descendentes con la púa para conseguir fuerza, y combina golpes ascendentes para variar el ritmo.

RIFF BÁSICO DE LA CANCIÓN

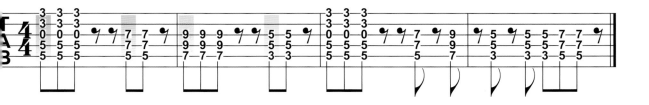

ASÍ ES COMO SE HACE

1 Para este acorde se coloca el dedo índice para pisar las cuerdas 2.ª y 1.ª, por tanto será necesario que estires el anular y el meñique para tocar las cuerdas 4.ª y 5.ª.

2 Cambia la postura aquí, el índice toca la nota Re en la 5.ª cuerda y el anular y el meñique pisan las cuerdas 3.ª y 4.ª.

3 Mueve toda la postura dos trastes, al 7.º y al 9.º traste sobre las cuerdas 3.ª, 4.ª y 5.ª. Haz que estos acordes suenen altos y claros.

4 Regresa al 3.º y 5.º traste, utilizando el índice para la 5.ª cuerda, y el anular y el meñique para las cuerdas 3.ª y 4.ª.

TONY IOMMI

1948-
BANDA: **BLACK SABBATH**
MAYOR FAMA: **DÉCADA DE 1970**

Hay motivos para pensar que Tony Iommi es el guitarrista de rock duro más representativo. Después de todo, inventó, más o menos, el heavy metal con Black Sabbath. Las clásicas canciones de esta banda («Paranoia», «War Pigs», «Iron Man» y otras), con una sencillez brutal, y sin embargo enormemente efectiva, combinan riffs de voces fantasmales, cortesía de Ozzy Osbourne, con una incesante imaginería lírica oscura. Con Black Sabbath, nació un género.

Tony Iommi nació el 19 de febrero de 1948 en Birmingham (Reino Unido). Empezó a tocar la guitarra en su adolescencia, inspirado por Hank Marvin & the Shadows. A finales de la década de 1960, Iommi había formado un grupo llamado Earth con tres amigos del colegio (bajo: Ferry «Geezer» Butler; batería: Bill Ward, y cantante: John «Ozzy» Osbourne). La carrera musical de Iommi casi termina antes de empezar después de un accidente laboral que le llevó a la pérdida de las puntas de los dedos de la mano derecha. Sin embargo, logró recuperarse y adaptarse a su estilo.

Durante un breve período de tiempo se unió a Jethro Tull en 1968, pero rápidamente regresó a Earth, ahora llamado Black Sabbath. Pronto siguieron su propia dirección: temas líricos oscuros con repetitivos riffs heavy. Consiguieron la mezcla perfecta desde el principio. Su debut con un disco sin título fue un éxito inmediato, al igual que lo fueron los siguientes, *Paranoid* y *Master Reality* de 1971, *Vol. 4* de 1972 y *Sabbath Bloody Sabbath* de 1973. Por esta época era una de las bandas de rock duro más famosas del mundo, con Iommi tocando la guitarra en el corazón del sonido de la banda, impulsando los riffs de guitarra más reconocidos en la historia del rock.

A finales de la década de 1970, las constantes giras y el abuso de las drogas empezaron a quebrar la banda, llegando a la marcha de Osbourne en 1979. Iommi mantuvo la banda y la reformó triunfalmente a finales de la década de 1990, y quedó demostrado que su música ejercía una influencia única.

DERECHA: *Tony Iommi fue fundamental para la historia del rock duro. De hecho, algunos críticos de música han reconocido que Iommi y Black Sabbath fueron los creadores únicos del género.*

LOS DEDOS DE TONY

El momento más trágico de la historia de Tony Iommi sucedió cuando tenía 18 años. El último día que trabajó Tony en una fábrica de metal, una máquina de prensar le cogió la mano derecha. Instintivamente retiró la mano, pero al hacerlo se desgarró las puntas de los dedos medio y anular al quedar atrapados en la máquina. Ironías del destino, Iommi había planeado no ir ya a trabajar aquel día, pero su madre había insistido en que fuera, diciéndole que era lo que debía hacer.

Al principio, Iommi estuvo a punto de dejar de tocar. Luego, un amigo le dio un disco del legendario guitarrista de jazz gitano Django Reinhardt, que había sufrido quemaduras en la mano izquierda y sólo le habían dejado dos dedos sanos para trabajar. Esto inspiró a Tony a empezar a tocar de nuevo. Primero probó a tocar la guitarra con la otra mano, pero sin mucho éxito. Luego se le ocurrió la brillante idea de hacerse dedales para las puntas de los dos dedos dañados. Se las hizo fundiendo botellas de plástico, les dio forma y los forró de piel para poder agarrar las cuerdas mejor. Después, a pesar de no poder sentir las puntas de los dedos que llevaban «dedal», Tony volvió a aprender a tocar. Nunca sabremos si el estilo revolucionario al que llegó se hubiera producido sin el accidente que sufrió.

DERECHA: *A Iommi se le identifica más con Black Sabbath a finales de la década de 1960 y principios de la de 1970, pero también ha tenido éxito en su carrera en solitario en el 2000.*

«Iron Man»

DISCO: *PARANOID*

LETRA: **TONY IOMMI, BILL WARD, GEEZER BUTLER, OZZY OSBOURNE**

GRABACIÓN: **REGENT SOUND, ISLAND STUDIOS, LONDRES**

PRODUCTOR: **RODGER BAIN**

Es un riff de rock duro tocado en el espacio de dos trastes. Intenta mantener las notas sólidas y firmes. Practica la precisión moviendo la postura. Ten cuidado de no pisar la 6.ª cuerda en las notas del acorde cuando bajes con la púa. Practica mantener la postura del acorde constante, especialmente cuando subes y bajas por el diapasón.

RIFF BÁSICO DE LA CANCIÓN

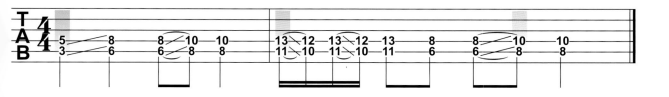

ASÍ ES COMO SE HACE

1 Mantén firme la postura del dedo índice en el traste 3.º de la 5.ª cuerda y el anular en el 5.º traste de la 4.ª cuerda.

2 El riff ha ascendido a los trastes 11.º y 13.º y ahora se mueve con rapidez hacia atrás y hacia delante entre los dos trastes. Mantén el ritmo.

3 Es exactamente la misma postura pero en los trastes 8.º y 10.º de las cuerdas 4.ª y 5.ª. Repite el riff lentamente hasta que te encuentres cómodo.

LA SG DE TONY IOMMI

Al ser zurdo, Iommi tuvo muchos problemas a la hora de encontrar una guitarra que se adaptara a él en sus comienzos. En esa época, a principios de la década de 1960, no era fácil coger la guitarra eléctrica, y menos para los zurdos.

Su primera guitarra fue una Watkins, una copia barata, popular, de la Fender Stratocaster. Cuando se pasó a la Burns (otra marca británica) y luego a la Strat auténtica, su elección se veía limitada por tener que tocar con la mano izquierda. Finalmente encontró una Strat para zurdos, pero prefería el sonido de la Gibson SG que había oído, así que se decidió a comprar una SG para diestros y le puso las cuerdas al revés, igual que hizo Hendrix con su Strat. Luego, por casualidad, tropezó con otro guitarrista que era diestro, pero, curiosamente, tocaba con la mano izquierda un SG con las cuerdas al revés. Tony Iommi le propuso un cambio, y fue esta SG la que tocó en la mayoría de los álbumes clásicos de Black Sabbath. Cuando llegó al éxito, pudo conseguir guitarras hechas de encargo, todas siguiendo el modelo de la SG. La más conocida de ellas fue la que fabricó guitarras Jaydee, una empresa fundada por el técnico de guitarra John Diggins, quien durante algún tiempo estuvo con Iommi y, posteriormente, un modelo propio hecho por encargo por la empresa británica Patrik Eggle Guitars. Más recientemente también la misma firma Gibson ha fabricado un modelo Tony Iommi propio (por tanto, si alguien está interesado en reinventar el heavy metal hoy, ya no tiene esa oportunidad).

DERECHA: *La Gibson SG proporcionó a Tony Iommi la forma de guitarra ideal, y las guitarras hechas de encargo se fabrican siguiendo ese modelo.*

«Paranoid»

DISCO: *PARANOID*
LETRA: **TONY IOMMI, BILL WARD, GEEZER BUTLER, OZZY OSBOURNE**
GRABACIÓN: **REGENT SOUND, ISLAND STUDIOS, LONDRES**
PRODUCTOR: **RODGER BAIN**

Otro riff heavy metal clásico del principio, que emplea esa conocida distancia entre dos trastes para cada cuerda. Debes asegurarte de que estas notas se tocan con firmeza y precisión cuando bajas de la cuerda 6.ª a la 4.ª. Para lograr rapidez también se emplea en este riff la técnica del ligado ascendente. Emplea la postura de los dos dedos para crear sonido de rock duro. El ligado ascendente aumentará la rapidez y se podrá utilizar para acentuar la melodía.

RIFF BÁSICO DE LA CANCIÓN

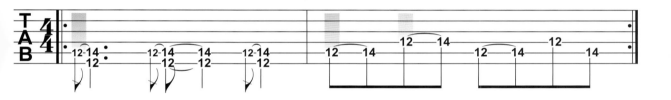

ASÍ ES COMO SE HACE

1 Los dedos índice y anular se utilizan juntos, el índice toca notas en dos cuerdas en el 12.º traste y el anular el ligado ascendente.

2 Aquí el riff solo requiere que se toque la 5.ª cuerda, de nuevo se emplea la técnica del ligado ascendente pero hay que tener cuidado para evitar pisar la 6.ª cuerda.

3 Baja el dedo índice a la 4.ª cuerda para tocar en el 12.º traste, una vez más emplea el ligado ascendente para dar rapidez.

MICK RONSON

1946-1993
BANDA: THE SPIDERS FROM MARS, HUNTER AND RONSON
MAYOR FAMA: DÉCADA DE 1970

Mick Ronson fue el indiscutible rey de los guitarristas glam-rock. Durante tres tumultuosos años tocó como el Keith Richards de tacones altos, mientras David Bowie se comportaba con el mismo pavoneo de Jagger. Sus riffs dieron fama a éxitos de Bowie como «Jean Genie» y «Rebel Rebel», mientras que sus melódicos solos convirtieron en clásicos a canciones como «Ziggy Stardust». Lo que marcó el estilo de Ronson fue su mezcla de sencillez y sofisticación. Cuando se necesitaba un riff muy pegadizo, era justo lo que él proporcionaba, pero también fue capaz de dar al sonido «avant garde» texturas que todavía hacen que suenen contemporáneas las grabaciones de un Bowie con 30 años.

DERECHA: *Mick Ronson influyó de manera notable en el sonido de David Bowie, y tocó en algunas de las canciones más famosas de estos artistas.*

Mick Ronson nació en Hull, Yorkshire, el 26 de mayo de 1946. Recibió clases de piano y de violín cuando era niño y también tocaba la armónica en la iglesia antes de coger la guitarra al final de su adolescencia. Trabajó en varias bandas locales, entre ellas The Rats, quienes más tarde le llevaron a la banda de Bowie, The Spiders from Mars. Pero la verdadera preparación de Ronson para trabajar con Bowie vino cuando añadió la guitarra eléctrica a un disco del intérprete de folk, Mike Chapman, lleno de estirados de cuerdas y secuencias rítmicas poco corrientes. Al oír esto, Bowie sintió inspiración. En ese momento grababa «Space Oddity» con base acústica y contrató a Ronson para que añadiera algo de rock a su material. Su combinación tuvo un éxito espectacular a principios de la década de 1970. Luego, en 1974, Bowie deshizo la banda y Ronson intentó una carrera en solitario antes de unirse a Ian Hunter de Mott The Hoople. Las décadas siguientes fueron testigo de un Ronson trabajando con una extraordinaria variedad de artistas, desde Bob Dylan a Morrisey, y entre medias con John Mellencamp y Meatloaf. Mantuvo una breve reunión con Bowie poco antes de morir de cáncer de hígado el 30 de abril de 1993, a los 46 años.

LA LES PAUL DE RONSON

Siempre que se habla del sonido de la guitarra de la década de 1970, hay oportunidad de hablar del sonido del modelo propio de Ronson '58 Les Paul/Watt Marshall. Como miembro de The Spiders from Mars de Bowie, Ronson dio a la Les Paul una imagen revisada y un nuevo sonido electrizante. Ciertamente, no sonaba como la misma Les Paul que había tocado Clapton y sus amigos intérpretes de blues. Esta Les Paul tenía un sonido más cortante, más punk. Para conseguir este peculiar sonido, Ronson utilizaba su wah Dunlop CryBaby para conseguir un tono más cortante, empleando el pedal hasta conseguir ese rango medio con garra, luego lo dejaba en esta posición. También fue un maestro en la utilización del wah para llevar a un solo a su clímax de lamentos y gritos.

ABAJO: *Ronson ayudó a colocar en el mapa a la Gibson Les Paul combinándola con un Dunlop CryBaby. Todos los discos de Ronson de su época con los Spiders estaban grabados con un amplificador Marshall Major 200W apodado «the pig».*

La antigüedad y modelo reales de la Les Paul Custom, tan fotografiada con Ronson, no están demasiados claros. Ronson era famoso por no interesarse demasiado por el equipo. En la revista *Guitar Player* de diciembre de 1976, se identifica como una '58, pero otros artículos indican que en realidad es una '68. Una cosa es segura: la famosa Paul no era de su color dorado habitual. Cuando tocaba con Michael Chapman en 1969, Ronson admiraba la madera natural de la Gibson J-200 de este cantante de folk. Chapman le explicó que había eliminado el acabado original para mejorar su acústica. Impresionado, Ronson se dirigió de inmediato a uno de los empleados de Chapman para que le quitaran el acabado negro de su Les Paul. Sin embargo, a finales de la década de 1970, Ronson se había pasado a la Stratocaster y había vendido la Les Paul a Steve Jones de The Sex Pistols (un guitarrista cuyo sonido imitaba, claramente, a Ronson con un riff heavy y, al mismo tiempo, pop).

«Rebel, Rebel»

DISCO: *DIAMOND DOGS*
LETRA: **DAVID BOWIE**
GRABACIÓN: **OLYMPIC STUDIOS; ISLAND STUDIOS, LONDRES**
PRODUCTOR: **DAVID BOWIE**

Es un bello riff descendente de «Rebel, Rebel» de David Bowie. Después de la introducción con la nota Mi en la 4.ª cuerda, emplea el dedo anular para pasar a la nota Mi en el 5.º traste de la 2.ª cuerda. Practica la utilización de los tres primeros dedos para tocar cadencias descendentes en el diapasón. Toca el riff lentamente con sentimiento, pisando las notas con firmeza y utilizando la púa para conseguir ese gran sonido de Mick Ronson.

RIFF BÁSICO DE LA CANCIÓN

ASÍ ES COMO SE HACE

1 Esta fotografía muestra la nota Mi en la 4.ª cuerda. Mantén esta nota con el dedo índice mientras encuentras la postura para empezar a tocar la sucesión de notas rápidas descendentes.

2 Toca esta nota Re con el dedo medio en la 2.ª cuerda para permitir que el índice quede atrás y pise el 2.º traste.

3 Pon el índice en el primer traste de la 3.ª cuerda y el dedo medio puede pisar la nota Mi final en la 4.ª cuerda.

EL GUITARRISTA ANTIEQUIPOS

La mayoría de los grandes guitarristas están obsesionados con el equipo, músicos que pellizcan constantemente sus guitarras, amplificadores y efectos para encontrar ese sonido distorsionado matador, ese diapasón perfecto o la pastilla supersensible. Otros son coleccionistas, siempre buscando esa Gibson de antes de la guerra o esa Martin perfecta. Mick Ronson, sin embargo, fue, definitivamente, la excepción a esta regla.

La actitud de Ronson quedó muy clara en la descripción que hizo cuando actuó con David Bowie en la década de 1980. Tomó prestada una guitarra de Earl Slick, que trabajaba con Bowie, y empezó a tocar «Jean Genie» haciendo girar la guitarra alrededor de su cabeza. No podía entender por qué Slick le miraba tan horrorizado. «Más tarde descubrí que era su guitarra especial, yo pensé que sólo era una guitarra, un trozo de madera con seis cuerdas.» Esa era realmente la actitud de Ronson respecto a sus propias guitarras.

«Siempre me pasa lo mismo con las guitarras, siempre tienen algo mal. En realidad soy vago a la hora de arreglar las cosas y suelo dejarlas como están. Pero, al mismo tiempo, siento dejarlas a propósito; por alguna razón psicológica las dejo como están, así que luego tengo que luchar con ellas. Entonces me parecen reales y mías.» Y respecto a los amplificadores, «a menudo no pienso siquiera en lo que está conectado... no importa, siempre y cuando funcione». Sin llevar la actitud de Ronson a ningún extremo, merece la pena tener presente el crucial hecho de que lo que realmente importa es lo que tocas, no qué clase de guitarra estás tocando.

IZQUIERDA: *Mick Ronson fue un guitarrista de rock que centró todos sus esfuerzos en tocar y no en el equipo.*

«Ziggy Stardust»

DISCOS: *THE RISE AND FALL DE ZIGGY STARDUST* Y *THE SPIDERS FROM MARS*
LETRA: **DAVID BOWIE**
GRABACIÓN: **TRIDENT STUDIOS, LONDRES**
PRODUCTORES: **DAVID BOWIE, KEN SCOTT**

Aquí hay un gran ejemplo del empleo de acordes regulares para crear un riff clásico. La introducción a «Ziggy Stardust» está basada en los acordes Sol y Re con unas cuantas notas más para hacerlo más interesante. Escucha el modo en el que Mick Ronson toca el acorde Re durante la introducción. Puedes emplear los acordes de esta canción para experimentar el uso de acordes básicos como introducción melódica a un tema.

RIFF BÁSICO DE LA CANCIÓN

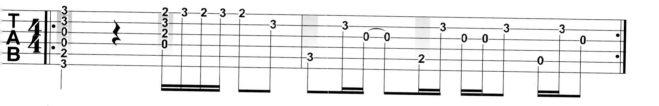

ASÍ ES COMO SE HACE

1 El dedo índice mantiene la nota Sol grave en la 6.ª cuerda, el anular y el meñique tocan notas en las cuerdas 2.ª y 6.ª.

2 Acorde Re (D): puedes tocarlo con los dedos medio, anular y meñique o con el índice pisando tres cuerdas y el meñique sobre la nota Re.

3 El dedo medio tocaría la nota Do en la 5.ª cuerda y el tercer dedo toca la nota Re en la 2.ª cuerda.

4 El dedo índice toca la nota Si en la 5.ª cuerda; suelta el dedo medio y toca la nota Re en la 2.ª cuerda.

DAVID GILMOUR

1946-
BANDA: **PINK FLOYD**
MAYOR FAMA: **DÉCADAS DE 1970 Y 1980**

Algunos guitarristas se convierten en leyendas gracias a su fenomenal técnica, otros por su originalidad. Luego están aquellos cuya fama reside en su sonido único. Nombres como el de Stevie Ray Vaughan, Eric Clapton y B. B. King podrían mencionarse en su contexto, Carlos Santana seguro, pero quizás el guitarrista de sonido definitivo es David Gilmour de Pink Floyd. El sonido de la Stratocaster de Gilmour, influenciado por el blues, pero no exactamente blues, cuando toca *Dark Side of the Moon* ha venido a definir la interpretación a la guitarra de rock progresivo.

DERECHA: *Pink Floyd era un grupo experimental por naturaleza, y David Gilmour era su guitarrista ideal, alguien con una soberbia habilidad para tocar, combinada con su interés por los efectos.*

David Gilmour nació el 6 de marzo de 1946 en Cambridge (Reino Unido). Empezó a tocar la guitarra acústica cuando tenía 14 años, antes de cambiar a las eléctricas Burns Sonnet y Hofner Club 60. Cuando todavía iba al colegio, Gilmour conoció a Roger Waters y Syd Barrett. Waters y Barrett formaron Pink Floyd en 1965 junto con Rick Wright al teclado y Nick Mason a la batería. Cuando las drogas desestabilizaron a Barrett, Gilmour entró en el grupo, primero de refuerzo y, más tarde, sustituyendo a Barrett.

Durante los años siguientes, la banda se hizo aún más experimental, produciendo discos como *Ummagumma* y *Atom Heart Mother*. Al principio, Gilmour tocaba una Telecaster pero, después de que se la robaran, la sustituyó por una Strat. Tocaba con amplificadores HiWatt, y pronto con gran variedad de pedales de efectos. La banda estuvo la mayor parte de 1972 trabajando en un nuevo disco. Era *Dark Side of the Moon* y de la noche a la mañana colocó a Pink Floyd en un lugar destacado del rock. Este trabajo se mantuvo en las listas mucho tiempo más que cualquier otro disco de la historia. Los siguientes, *Wish You Were Here, Animals* y *The Wall* se vendieron a millones y el sonido de Pink Floyd, con la guitarra de Gilmour al frente, ha continuado gustando a generaciones sucesivas de amantes del rock.

CÓMO «GILMOURIZAR» TU STRAT

La guitarra principal de Gilmour sobre el escenario es una '57 Vintage Reissue Strat americana con una palanca de trémolo corta para que él pueda sujetarla con la mano que puntea de un modo más cómodo cuando está tocando. Las demás modificaciones se encuentran en la parte eléctrica.

Como todas sus Strats, lleva pastillas de bobina sencilla EMG-SA con salida baja de impedancia, las cuales respalda con dos módulos de tonalidad más, un realce mid booster SPC y un EXG mid-cut/expander. Las pastillas SA tienen imanes Alnico que poseen una mejor respuesta en medios que los imanes S cerámicos. El SPC se utiliza para producir un sonido de zumbido, mientras que el EXG se utiliza mucho para el ritmo, ya que realmente ayuda a definir las notas, especialmente, cuando se está empleando la distorsión. El EXG baja los medios, mientras que eleva pesadamente los graves y agudos.

Es precisamente con el uso del SPC cuando realmente se escucha el sonido Gilmour. Si subes al máximo el SPC consigues ese sonido pesado de blues con el cual se le ha asociado siempre. Luego se encuentra la palanca de trémolo, una parte importante del sonido de Gilmour, pero propensa, de forma notoria, a desafinar la guitarra. Gilmour intenta minimizar esto, apretando lo más posible los seis tornillos frontales de la parte superior de la tapa del trémolo, con el fin de que hagan un contacto total. Él piensa que así se mantiene mejor afinada.

DERECHA: *La Fender Stratocaster ha sido uno de los instrumentos primordiales de la era del pop y del rock. Fue diseñada por Leo Fender en 1953, y todavía se encuentra en producción con este diseño.*

«Wish You Were Here»

DISCO: *WISH YOU WERE HERE*
LETRA: **DAVID GILMOUR, ROGER WATERS**
GRABACIÓN: **ABBEY ROAD STUDIOS, LONDRES**
PRODUCTORES: **PINK FLOYD**

Éstos son los acordes de guitarra acústica de «Wish You Were Here». La canción comienza con dos guitarras acústicas moviéndose por estos acordes. La primera toca los acordes y la segunda puntea una melodía. Experimenta quitando y añadiendo un dedo a estos acordes para variar el sonido. Una vez que domines estos movimientos, cantar te ayudará a conseguir la coordinación del ritmo.

ACORDES BÁSICOS DE LA CANCIÓN

Em7

G

A7sus4

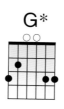
G*

(E: Mi, G: Sol, A: La)

ASÍ ES COMO SE HACE

1 Esta fotografía muestra al dedo índice sobre la nota Mi en el 2.º traste de la 4.ª cuerda. El anular y el medio tocarían las cuerdas 1.ª y 2.ª.

2 Ésta es la postura del acorde mostrada previamente con el dedo índice quitado, mantén el anular y el meñique en posición.

3 El anular y el meñique se quedan en el traste 3.º de las cuerdas 2.ª y 1.ª; el índice y el medio pisan las cuerdas 3.ª y 4.ª.

4 El índice pisa la 5.ª cuerda, el medio pisa la 6.ª, el anular y el meñique todavía se encuentran en las cuerdas 1.ª y 2.ª en el traste 3.º.

LA PEDALERA CORNISH

La primera pedalera Cornish de Gilmour consistía en un selector de dos entradas para guitarra y en un afinador estroboscópico de guitarra. Mientras que los pedales de efectos eran un Dallas Arbiter Fuzz Face, un MXR Phase 100, Dynacomp y compuerta de ruido, un Uni-Vibe, Pete Cornish Custom Fuzz y un Jim Dunlop CryBaby. La pedalera se caracterizaba por tres pedales de barrido. Éstos se modificaron a control de tonalidad, pedal de volumen y wah-wah, respectivamente. Esta nueva pedalera artística tenía una sofisticada capacidad para hacer cambios que iban muy por delante de los pedales de finales de la década de 1970. Cada efecto se podía desviar de forma individual o configurar en cualquier secuencia, y había tres salidas para varios amplificadores. Esto no sonaría de un modo tan extraordinario en la era digital actual, con el Midi, pero entonces, utilizando tecnología analógica, fue revolucionario.

A pesar de la aparente complejidad de estas partes del equipo de David Gilmour, los verdaderos contenidos de cada corte del disco podían llegar a sorprender. Su sonido es bastante limpio, esencialmente, después de elegir diferentes unidades de distorsión para añadir el característico sonido a su señal. Por ejemplo, para reproducir el corte «Money» de *Dark Side of the Moon* en directo, Gilmour emplea esta combinación de efectos. Riff principal: Pete Cornish Soft Sustain con Chandler Tube Driver #2. Solo: Boss CS-2 Compressor con Chandler Tube Driver #1, Sovtek Big Muff & TC Electronics (retraso digital). Solo (sonido simple): Chandler Tube Drive #1 con Pro Co. Rat II Distortion.

Pete Cornish tiene ahora su propio negocio de fabricación de efectos y pedaleras de encargo, por tanto, si crees que necesitas efectos sofisticados fáciles de manejar en un escenario, estarás en buena compañía si le buscas.

IZQUIERDA: *La desconcertante disposición de pedales de efectos de la que dispone David Gilmour para sus actuaciones en directo.*

«Money»

DISCO: *DARK SIDE OF THE MOON*
LETRA: **ROGER WATERS**
GRABACIÓN: **ABBEY ROAD STUDIOS, LONDRES**
PRODUCTORES: **PINK FLOYD**

Esta canción tiene una gran línea de notas interpretadas con la técnica «walking bass». La tablatura muestra las notas agudas de la canción que suenan realmente bien si se tocan en una guitarra eléctrica sin efectos. Se necesita un poco de práctica, pero una vez que se retiene, se disfruta tocándola. Mantén las notas firmes y diferenciadas. Recuerda la versión grabada (pensar en el sonido de las cajas registradoras ¡te ayudará a mantener la coordinación!).

RIFF BÁSICO DE LA CANCIÓN

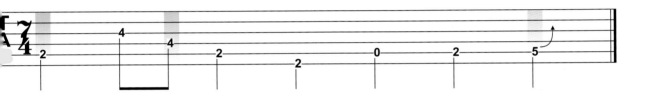

ASÍ ES COMO SE HACE

1 Aquí el dedo índice pisa la 5.ª cuerda en el 2.º traste. Prepara el anular para pisar el 4.º traste de la 3.ª cuerda.

2 El anular pisa el 4.º traste de la 3.ª cuerda. También puedes tocar esta frase con el anular sobre la 4.ª cuerda y el meñique sobre la 3.ª.

3 Será necesario que el meñique estire la cuerda hacia el 5.º traste. Mantén en su posición los demás dedos para repetir la frase desde el principio.

EMPLEO DE MÚLTIPLES EFECTOS

En los primeros días del rock, los guitarristas solían limitarse a utilizar uno o dos efectos (generalmente, la distorsión o wah-wah que estaban en plena moda). Sin embargo, poco a poco, a medida que se iban conociendo mejor estos efectos y salían más tipos al mercado, los guitarristas comenzaron a experimentar con el sonido, siendo pioneros de combinaciones de efectos cada vez más complejas. David Gilmour estuvo al frente de esta tendencia.

En la época de *Dark Side of the Moon,* estaba utilizando, entre otras cosas, un wah-wah, un Electro-Harmonix Big Muff, un Uni-Vibe y un Maestro Rover. No obstante, el problema de emplear varios efectos a la vez era que si estaban conectados en serie solía haber una disminución significativa de la calidad del sonido. Sólo el simple hecho de tener en el escenario media docena de pedales que funcionaban con batería, significaba que había muchas cosas que podían salir mal. Entonces Gilmour oyó hablar de un hombre llamado Pete Cornish que trabajaba en Sound City, en Londres. Cornish había empezado a fabricar unidades de efectos por encargo, cajas negras que funcionaban con interruptores de pie, dentro de las cuales Cornish hacía todas las conexiones eléctricas necesarias para cada una de las unidades de efectos deseadas. Gilmour se puso en contacto con Cornish y empezó una relación laboral que se ha mantenido durante más de 20 años.

DERECHA: *Gilmour ha destacado por su empleo de la palanca de trémolo. La ha utilizado para crear tonos tristes en algunas de las canciones más famosas de Floyd.*

«Time»

DISCO: *DARK SIDE OF THE MOON*
LETRA: **DAVID GILMOUR, ROGER WATERS, NICK MASON, RICK WRIGHT**
GRABACIÓN: **ABBEY ROAD STUDIOS, LONDRES**
PRODUCTORES: **PINK FLOYD**

Este riff se compone, básicamente, de dos notas en la 6.º cuerda con largos espacios antes de llegar a la parte principal de la canción. Obviamente es un riff bastante fácil de tocar, pero será necesario conseguir coordinación. Para lograr el mejor efecto, es mejor tocarlo escuchando el disco, y también te ayudará a coordinar.

RIFF BÁSICO DE LA CANCIÓN

ASÍ ES COMO SE HACE

1 Aquí se muestra al dedo índice en la nota Fa#, en el 2.º traste de la 6.ª cuerda. Toca esta nota con firmeza, después pasa desde la 6.ª cuerda al aire hacia el traste 1.º.

2 Esta foto muestra al dedo meñique en la nota La en el 5.º traste de la 6.ª cuerda. Mantén el dedo índice en la nota Fa#.

BRIAN MAY

1947-
BANDA: **QUEEN**
MAYOR FAMA: **DESDE LA DÉCADA DE 1970 HASTA LA DE 1990**

Brian May de Queen posee uno de los sonidos de guitarra más peculiares. Es un gran sonido, casi orquestal, adaptado perfectamente a la fusión única de pop y rock de su banda.

Brian May nació en un barrio de Londres en julio de 1947. Era un niño con una capacidad musical expléndida, capaz de tocar el ukulele y el piano en la época en la que le regalaron su primera guitarra, cuando cumplió siete años. El instrumento le fascinó de inmediato y, aunque estaba en el colegio todavía, iba a fabricarse (con ayuda de su padre) una guitarra eléctrica.

Este instrumento, bastante asombroso, conocido como Red Special y que costó 8 dólares hacerla, ha sido la principal guitarra que ha tocado durante toda su carrera.

La carrera de May empezó en una banda del colegio llamada 1984. Después entró a tocar en Smile, un poco más famosa, lo que le proporcionó la base central de Queen. El primer álbum de Queen salió en 1973, y cuando murió el vocalista Freddie Mercury en 1991, se habían establecido como una de las bandas más famosas del mundo de todos los tiempos. Los dos puntos fuertes de la banda eran la espectacularidad de Mercury y la facilidad de May para crear riff memorables al instante (tanto el que se encuentra en el centro de «Bohemian Rhapsody», o el que tiene «We Will Rock You».

Igual de peculiar era el trabajo melódico en solitario de May. May ha lanzado varios álbumes en solitario, presentando conciertos de Leyendas de la Guitarra junto a Steve Vai y Joe Satriani, y supervisando el enorme y exitoso tributo musical a Queen en el escenario *We Will Rock You*. En 2005, Queen volvió a hacer giras con el antiguo vocalista de Free and Bad Company, Paul Rodgers.

DERECHA: *Brian May ha creado algunos de los riffs de guitarra más memorables de la historia. Con Queen, y escribiendo para otros artistas, ha compuesto 22 grandes éxitos de top-20.*

LA RED SPECIAL

No muchos guitarristas han mantenido la misma guitarra durante toda su carrera. Seguramente es May, únicamente, el que ha conseguido esa hazaña utilizando una guitarra que se hizo él mismo cuando todavía iba al colegio.

La guitarra se hizo, principalmente, con los materiales que May encontró a su alrededor: caoba de un cerco de chimenea para el diapasón, un trozo de roble para el bloque central, muelles de válvula de una motocicleta para los muelles del trémolo y botones de madreperla para los puntos del mástil. Una novedad bastante interesante fue tener las tres pastillas conectadas en serie, y no en paralelo como es el modo convencional. Cada pastilla tiene un interruptor on/off y un interruptor para cambiar de fase. La combinación permite una enorme variedad de sonidos diferentes. En un principio las pastillas eran demasiado caseras, pero a May no le importaba para el sonido. Finalmente las sustituyó por Burns Tri-sonic de una bobina.

Puede que Red Special sea exclusiva, pero los aspirantes a Brian May se sentirán aliviados al saber que ellos no tendrían que fabricar sus propias copias. Desde que Queen llegó a la fama han salido al mercado muchas imitaciones. El mismo May ha utilizado una buena cantidad de ellas como guitarras auxiliares en las actuaciones en directo. Las copias varían desde la auténtica chapuza a lo más exquisito. En lo más alto de la gama se encuentran las Guyton Red Special Guitars hechas a mano por Andrew Guyton, con una etiqueta que garantiza su calidad; los mortales normales desearíamos investigar un poco más la Burns Brian May Signature Electric Guitar.

DERECHA: *La guitarra Red Special de Brian May es tan legendaria como el guitarrista mismo. May creó la guitarra de un modo improvisado y siempre ha poseído un profundo conocimiento de los aspectos técnicos de la producción musical y la instrumentación.*

«We Will Rock You»

DISCO: *NEWS OF THE WORLD*
LETRA: **BRIAN MAY**
GRABACIÓN: **SARM WEST; WESSEX STUDIOS, LONDRES**
PRODUCTOR: **MIKE STONE**

Ésta es la primera entrada de guitarra de «We Will Rock You». Asegúrate de conseguir el sonido de ese gran acorde de quinta de Brian May en el primer acorde. En este riff sólo tienes que utilizar el dedo anular para tocar esa nota Sol grave en la 6.ª cuerda. Practica la utilización del dedo anular para tocar esa nota Sol en la 6.ª cuerda, ya que así dará más fuerza al riff.

RIFF BÁSICO DE LA CANCIÓN

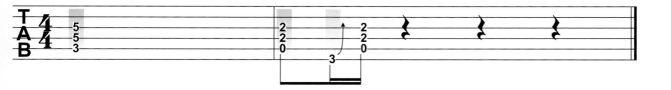

ASÍ ES COMO SE HACE

1 Aquí se muestra al dedo índice en el traste 3.º de la 5.ª cuerda y el anular y meñique en el 5.º traste de las cuerdas 4.ª y 3.ª.

2 Intenta utilizar el índice aquí para pisar las dos cuerdas al mismo tiempo en el 2.º traste de las cuerdas 3.ª y 4.ª.

3 Ésta es la nota grave en el traste 3.º de la 6.ª cuerda. Tócala con el dedo medio e intenta estirar un poco en esta nota.

TOCA COMO BRIAN

¿Cómo podrías conseguir ese sonido de guitarra propio de Brian May? Bueno, primero necesitas el equipo adecuado. Sería ideal, por supuesto, tener una réplica decente de la Red Special, una Burns o Guild quizás. Si no es el caso, con una Les Paul podrás acercarte un poco. Luego está el amplificador. May suele utilizar varios Vox AC 30s clásicos de la década de 1960, todos ellos modificados al máximo para producir la distorsión requerida, pero no lo intentes en casa a menos que vivas a varios kilómetros del vecino más próximo. Para uso doméstico, muchos amplificadores clásicos (Marshall o Mesa Boggie, por ejemplo) harán un trabajo decente con la ganancia y el rango medio EQ. Lo que necesitas en definitiva, no obstante, es un pedal de realce de agudos (booster). Si quieres lograr cada mínimo detalle, podrías utilizar incluso una moneda antigua de seis peniques británica de púa para la guitarra, como hace Brian.

Sin embargo, ésta es la parte sencilla. Lo que no resulta tan fácil copiar es la interpretación real. Habiendo dicho ésto, las partes de guitarra de Brian May no son lo más difícil del asunto. El corazón del pop/rock de Queen nunca alienta la pirotecnia conscientemente. El ritmo de May se basa, principalmente, en el empleo de acordes abiertos con esa peculiar distorsión estruendosa que produce el AC 30s. Para los solos, sin embargo, utiliza sus cuerdas preferidas de calibre fino para permitir el vibrato y estirado de cuerdas, además de ligados ascendentes y descendentes. La clave de su estilo siempre es centrarse en mantener las cosas melódicas, a la vez que da fuerza a la música.

IZQUIERDA: *En Queen, Freddie Mercury era, sin duda, el protagonista, pero May era la fuerza conductora que había detrás de la esencia de la música.*

«Bohemian Rhapsody»

DISCO: *NIGHT AT THE OPERA*
LETRA: FREDDIE MERCURY
GRABACIÓN: ROCKFIELD STUDIOS, GALES
PRODUCTOR: ROY THOMAS BAKER

Éste es el riff de guitarra que viene justo antes del momento en el que Freddie Mercury canta: «so you think you can stone me and spit in my eye». Aunque se toca sólo en dos cuerdas, se mueve un poco y se necesitará un poco de práctica para perfeccionarlo. Utiliza golpes ascendentes y descendentes con la púa para conseguir mayor rapidez. Procura que las notas estén bien definidas. Es un riff en el que todas las notas cuentan. Experimenta otras maneras de tocar hasta que te encuentres cómodo.

RIFF BÁSICO DE LA CANCIÓN

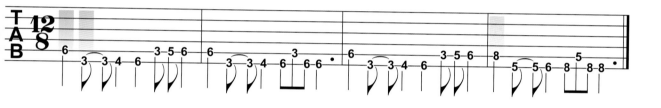

ASÍ ES COMO SE HACE

1 Es necesario que des tanta extensión como puedas entre las dos primeras notas de las cuerdas 6.ª y 5.ª. Utiliza el índice y el meñique aquí.

2 Aquí el dedo medio toca la nota Sol en el traste 3.º de la 6.ª cuerda. Tómate tu tiempo para hacerlo bien.

3 El meñique pisa el 8.º traste de la 5.ª cuerda. Observa que la postura básica de la mano sobre los trastes es, prácticamente, la misma.

«Tie Your Mother Down»

DISCO: *A DAY AT THE RACES*
LETRA: **BRIAN MAY**
GRABACIÓN: **SARM WEST; WESSEX STUDIOS, LONDRES**
PRODUCTOR: **MIKE STONE**

Para este famoso riff de Queen utiliza el dedo índice para pisar las cuerdas 4.ª y 3.ª en el 2.º traste al comienzo del riff. El dedo anular debe tocar las notas en las cuerdas 6.ª y 5.ª. Toca escuchando la canción para asegurar la coordinación. Emplea golpes descendentes con la púa para crear un sonido rock duro. Practica golpes descendentes entre las cuerdas graves y agudas de la guitarra.

RIFF BÁSICO DE LA CANCIÓN

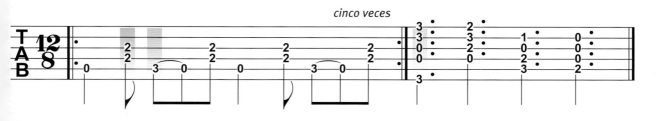

ASÍ ES COMO SE HACE

1 La mano se coloca para tocar todas las notas que se muestran en la tablatura. El dedo anular se puede mover fácilmente a las cuerdas 5.ª y 6.ª.

2 Aquí el dedo anular asciende a la 5.ª cuerda para tocar la nota Do en el traste 3.º. El índice sigue en su posición.

3 Utilizando el índice para las notas del 2.º traste, deja los dedos medio, anular y meñique disponibles para las notas de las primeras cuerdas.

IZQUIERDA: *La carrera de Brian May ha durado tres décadas hasta el momento. Artistas tan diversos como Def Leppard, George Michael y Macy Gray han grabado versiones de sus canciones.*

NILE RODGERS

1952-
BANDA: **CHIC**
MAYOR FAMA: **DÉCADA DE 1970**

Nile Rodgers es el padrino de la guitarra funk. Si preguntas a cualquiera la definición de tocar la guitarra con ritmo funky, se referirán a Nile Rodgers tocando «Le Freak» o «Good Times» con Chic. Sus partes sinuosas, de ritmo entrecortado (combinado brillantemente con el bajo, Bernard Edwards, igual de peculiar y el batería Tony Thompson) han llegado a definir el funk.

DERECHA: *Nile Rodgers actuando en directo. Primero se unió a una banda cuando tenía 16 años, les dijo a sus miembros que sabía tocar la guitarra, pero no era cierto. Sin embargo, aprendió con rapidez y su talento natural pronto emergió.*

Nile Rodgers nació el 19 de septiembre de 1952 en la ciudad de Nueva York. Procedía de una familia musical y su talento fue evidente desde sus primeros años. Cuando Nile tenía 19 años, estaba tocando la guitarra en la banda local para el Teatro Apolo, famoso en el mundo entero, acompañando a toda una gama de leyendas del soul. Conoció a Bernard Edwards a principios de la década de 1970.

En un primer momento unieron una serie de bandas de rock, pero a la industria de la música no le interesaba un grupo de chicos negros que tocaban música rock. Por tanto, desviaron su atención a la música de baile y formaron Chic. Desde su primer éxito, «Dance, Dance, Dance» (Yowsah Yowsah Yowsah) hasta «Le Freak» y «Good Times», su sonido definió la era disco.

Al principio los críticos solían descartarlos comercialmente, pero cuando los músicos empezaron a escuchar con más atención, se dieron cuenta de que era uno de los mejores grupos de cualquier clase de música. La interpretación a la guitarra de Rodgers especialmente influyó en todos, desde Brian May de Queen a Prince, y su reputación se extendió aún más cuando escribió y produjo por cuenta propia. De repente ese sonido funky, sin lugar a dudas, se podía oír en discos de artistas tan diversos como David Bowie, Madonna y Diana Ross. Mientras tanto, su influencia está presente cada vez que los guitarristas de rock deciden que es hora de tocar funky e intentan imitar esos patrones de ritmo sencillos, pero sólo en apariencia.

GUITARRA FUNK

Puede que Nile Rodgers sea el defensor más conocido de la guitarra funk (y ciertamente desarrolló un estilo único) pero sería el primero que reconociera que su interpretación procedía de una tradición. Si hay un hombre que realmente inventara la guitarra funk, ese es Jimmy Nolen. Su nombre no suena muy familiar, pero como guitarrista de casi todas las grabaciones clásicas de James Brown, su interpretación realmente lo es. Nolen desarrolló su penetrante estilo de funk durante los 16 años que pasó con Brown. Aunque en sus comienzos era un guitarrista de ritmos, el impacto que Nolen tuvo sobre músicos posteriores no es menos importante ni de menor alcance que la influencia de innovadores del rock y del blues como Chuck Berry o B. B. King. Su peculiar estilo de rasgueo y funky en acordes cortados de 16 notas (confiando con fuerza en los acordes en séptima y novena) proporcionó el cimiento en el que se basa, prácticamente, toda la guitarra moderna disco, funk y R&B.

El estilo de Nile Rodgers tiene sus raíces en la interpretación de Nolen y también abarca la influencia de guitarristas de jazz como Wes Montgomery (hay que destacar que Rodgers utiliza muchos acordes de jazz en su interpretación). El otro sonido de guitarra funk definitivo es el uso del pedal wah-wah para tocar ritmo, como aparece en el tema de *Shaft*. Rodgers utiliza este efecto de vez en cuando, mientras ofrece el siguiente consejo práctico a posibles defensores del estilo: «Nunca dediques mucho tiempo al pedal», avisa, «utilízalo para expresar y dedica tiempo a tus manos».

IZQUIERDA: *Nile Rodgers ha hecho hincapié en la necesidad de tener un buen sentido del ritmo para ser un guitarrista de funk competente y ha evitado depender de artilugios eléctricos.*

«Le Freak»

DISCO: *C'EST CHIC*
LETRA: **NILE RODGERS, NERNARD EDWARDS**
GRABACIÓN: **THE POWER STATION, NUEVA YORK**
PRODUCTORES: **NILE RODGERS, BERNARD EDWARDS**

Esta gran melodía de baile emplea golpes ascendentes y descendentes para crear ese clásico ritmo de chasqueo de Nile Rodgers. La mejor manera de lograrlo es utilizar el pulgar en vez de la púa. Tómate tu tiempo para practicar el toque de ritmo hacia arriba y hacia abajo mientras mueves el acorde entre los trastes 7.º y 5.º. La técnica del ensordecimiento recortará el sonido. Puedes hacerlo levantando suavemente la mano que mantiene el acorde después de tocarlo.

RIFF BÁSICO DE LA CANCIÓN

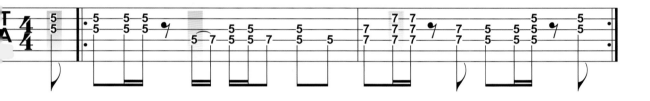

ASÍ ES COMO SE HACE

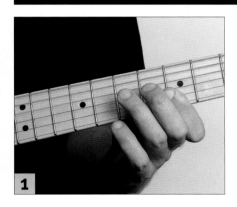

1 Se muestra el principio del riff, cuando la banda canta «Ah...». Utiliza el índice para pisar el 5.º traste de las cuerdas 1.ª y 2.ª.

2 Practica esta parte en solitario. Aplica la técnica de ligado ascendente con el anular sobre el 7.º traste, mientras el índice pisa el 5.º traste.

3 Puedes usar el anular para pisar tres trastes en el 7.º, luego suéltalo y pisa con él el 5.º. Practica ese ritmo con el pulgar.

PRINCE

1958-
BANDA: **PRINCE AND THE REVOLUTION**
MAYOR FAMA: **DÉCADA DE 1980**

Prince es uno de los guitarristas modernos más versátiles y también, como resultado de ello, uno de los más infravalorados. Puede tocar al estilo rock clásico, tocando todos los arpegios en la parte alta del diapasón. En directo, si está de humor, puede tocar como Jimi Hendrix, experimentando al máximo los sonidos. Más tarde, de nuevo si él así lo decide, puede tocar al estilo funk clásico de la década de 1970, utilizando el pedal wah-wah en las frases de relleno rítmicas. Ten presente que es también un extraordinario cantautor y hombre de espectáculo, uno de los auténticos «auteurs» de la música popular, y no es de sorprender que su interpretación a la guitarra se pase por alto algunas veces.

DERECHA: *Prince dio algunos de los conciertos en directo más electrificantes de las décadas de 1980 y 1990, sorprendiendo a su audiencia por su baile y por su musicalidad obvia.*

Prince Rogers Nelson nació el 7 de junio de 1958 en Minneapolis (Minnesota). Su padre le regaló su primera guitarra. Prince demostró rápidamente un prodigioso talento musical en toda una gama de instrumentos, y en calidad de cantautor firmó un contrato con Warner Bros cuando aún era un adolescente. En su primer disco, *For You*, lanzado en 1978, se le veía tocar a él todos los instrumentos. En posteriores trabajos cambió del soul, casi auténtico de su debut, a un material más influenciado por el rock, incluso por el punk. En este momento, su guitarra inspirada en Hendrix empezó a destacar.

Su carrera ascendió rápidamente y dio un gran paso con *Purple Rain*, un disco en el que mezclaba influencias del rock y del funk. Se vendieron 13 millones de copias sólo en Estados Unidos, y pasó 24 semanas en lo más alto de Billboard 200. Convirtió a Prince en superestrella. Respaldado por una sucesión de bandas fenomenales, Prince parecía ser capaz de canalizar casi todos los estilos de rock y soul que habían existido hasta entonces (y también cualquier estilo de guitarra).

LA COPIA DE TELECASTER DE PRINCE

Es fácil asumir que todos los grandes guitarristas utilizan un equipo de la gama más alta que cuesta una fortuna. Puede ser cierto, que a medida que se van enriqueciendo, los guitarristas suelan acumular más y más guitarras caras, pero también es cierto que algunos de ellos han hecho gran parte de su mejor trabajo utilizando instrumentos más sencillos.

Prince es uno de estos casos. Casi todos los discos que le dieron fama se caracterizan por haber empleado una copia Hohner Telecaster. Dado que muchos guitarristas desprecian la misma Telecaster a favor de la Stratocaster, utilizar un copia de Telecaster parece ya el colmo. La guitarra en cuestión fue comprada en 1980 en el almacén Knut Koupee Music de Minneapolis. Según el director del almacén, Prince probablemente eligió la guitarra por el golpeador de piel de leopardo, ¡que hacía juego con su traje en el escenario! Pero igual que formaba parte de su atuendo, el tosco sonido de esa guitarra barata era ideal para los ritmos limpios de traqueteo y entrecortados interpretados con guitarra en su primer estilo punk-funk. La utilizó para apoyar a Rick James aquel año, en el álbum *Dirty Mind*, y en casi todas las giras hasta la fecha.

Variante de Telecaster, esta guitarra se diferencia mucho del modelo estándar de Fender. La Hohner es de arce en su totalidad y posee un acabado dorado, en oposición al cuerpo de fresno y aliso de una Fender. Las propiedades tonales del arce se adaptan bien a Prince, proporcionando un sonido brillante y un buen sustain. Eligió esta madera para todas sus guitarras posteriores hechas de encargo. La fabricación más barata de la guitarra dio paso a problemas en el estudio, pero Prince todavía insistía en usarla, prefiriendo su sonido, el cual describió una vez como «discordante». Todavía se puede seguir la pista a las discontinuas emisiones de esta guitarra.

IZQUIERDA: *Prince es uno de esos guitarristas de éxito de raza extraña que han insistido en un modelo más barato, por lo que ellos creen que es pureza de sonido.*

«Purple Rain»

DISCO: *PURPLE RAIN*
LETRA: **PRINCE**
GRABACIÓN: **SUNSET SOUND STUDIO, LOS ÁNGELES**
PRODUCTOR: **PRINCE**

Estos acordes suenan de un modo maravilloso, sin nada más, al principio de «Purple Rain». Para lograr el sonido exacto, el mismo de Prince, necesitarás utilizar un pedal de estribillo en una guitarra eléctrica. Practica la coordinación justo antes de que entre el vocal al principio del primer verso. Asegúrate de que los acordes fluyan de un modo natural entre ellos, y practica el movimiento entre estas posturas para conseguir un sonido realmente suave.

ACORDES BÁSICOS DE LA CANCIÓN

C	Am7	G	F	Fsus4

(C: Do, A: La, G: Sol, F: Fa)

ASÍ ES COMO SE HACE

 1 Éste es un acorde Do (C). Utiliza el índice, el medio y el anular para mantener estas notas. Emplea golpes descendentes con la mano de rasguear.

2 Soltando el anular formarás el siguiente acorde en la secuencia Am7 (La menor séptima). Mantén el ritmo regular cuando cambies de acorde.

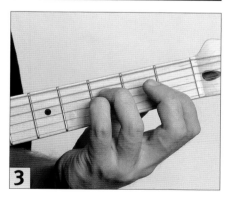

3 Utiliza el índice para pisar las cuerdas 2.ª y 1.ª, el anular para pisar la cuerda 4.ª y el meñique para la 3.ª cuerda.

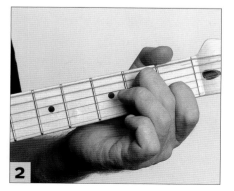

SLASH

1965-
BANDA: **GUNS N' ROSES**
MAYOR FAMA: **FINALES DE LA DÉCADA DE 1980**

El hombre que hay detrás de algunos de los riffs de guitarra más populares de los últimos 20 años, Slash, nació en Londres en 1965. Sus padres trabajaban en el negocio de la música. En la década de 1970, se volvió a la ciudad de origen de su madre, Los Ángeles. Empezó a tocar la guitarra en el instituto y pronto formó la banda de rock americana más popular de finales de la década de 1980, Gun N'Roses, junto con el cantante Axl Rose, el coguitarrista Izzy Stradlin y su compañero de instituto, Steven Adler, a la batería y Duff MacKagan al bajo.

DERECHA: *Slash dio a Guns N' Roses su punto de rock duro. Él cita entre sus influencias a Jimmy Page, Mick Taylor, Eddy Van Halen y Jeff Beck.*

Su primer álbum, *Appetite for Destruction*, salió en 1987 y todavía sigue siendo uno de los discos clásicos de rock duro de todos los tiempos. Tardaron un año en hacerse populares, pero una vez que MTV empezó a preparar el vídeo para la balada del disco «Sweet Child O'Mine», el éxito estuvo asegurado. *Appetite for Destruction*, lleno de enmarañadas pruebas con dos guitarras como en el caso de «Welcome to the Jungle» y «Paradise City», revivían el espíritu proscrito de los Rolling Stones y de Aerosmith. Iban a vender más de 30 millones de copias. La banda nunca alcanzó esa altura de nuevo, aunque el siguiente, *Use Your Illusion*, se quedó cerca. En la década de 1990, la banda sufrió diferencias musicales y problemas de drogas y, a partir de 1995, Slash ha seguido su carrera en solitario.

Como guitarrista, el estilo de Slash se debe principalmente a sus héroes de los comienzos, los Rolling Stones y, sobre todo, a Joe Perry de Aerosmith. Con el paso del tiempo se ha incorporado en su interpretación un sentimiento de blues, y Slash cita ahora a Jeff Beck (basado en el blues, pero siempre experimental) como su mayor inspiración. Mientras tanto, las tiendas de guitarras de todo el mundo tienen señales que prohíben a los novatos emular la parte rompedora de guitarra de Slash de «Sweet Child O' Mine», al que los lectores de la revista *Total Guitar* han votado recientemente como el mejor riff de guitarra de todos tiempos.

UN RIFF NADA ORDINARIO

El riff de «Sweet Child O' Mine» se aparta un poco de los riffs de guitarra clásicos. Para empezar lo hace con un tempo lento en vez de un tempo más rápido. Segundo, en vez de tocar acordes de quinta graves en la guitarra, utiliza acordes arpegiados muy altos en el mástil. Tercero, donde la mayoría de los grandes riffs son maravillosamente claros y directos, «Sweet Child O'Mine» es difícil. Tal vez sea esa la razón por la que todo posible héroe de guitarra se siente obligado a aprenderlo: es algo parecido a un rito de transición.

Lo que sí tiene en común con muchos clásicos del rock es que fue una idea musical un poco accidental. La banda ya tenía las canciones para su disco con el que iban a debutar cuando empezaron a meter algunos acordes que había propuesto Izzy Stradlin. Axl Rose empezó a cantar las palabras de un poema que había escrito hacía un tiempo. Mientras tanto, Slash se estaba ocupando de un pequeño patrón de guitarra en el mástil alto. El resto, por supuesto, es historia. Sin «Sweet Child O'Mine», Guns N'Roses nunca hubiera despegado del suelo. Es una gran lección Zen para todos los héroes de la guitarra (algunas veces cuando no estás pensando realmente lo que estás haciendo, creas tu mejor trabajo).

SLASH Y LA GIBSON LES PAUL

Una de las guitarras de rock clásico de todos los tiempos, la Gibson Les Paul, se había pasado un poco de moda desde finales de la década de 1980, antes de que Slash la actualizara de nuevo.

Primero tocó con una Memphis Les Paul Copy mientras estuvo en el colegio, practicando con ella «Cat Scratch Fever» de Ted Nugent. Posteriormente, se compró una Les Paul auténtica que había pertenecido antes al legendario guitarrista Steve Hunter, cuando tocaba con Alice Cooper y Lou Reed. Cuando empezaron las sesiones de *Appetite for Destruction,* Slash estaba tocando una Jackson. No estaba contento con el sonido y se desesperaba cada vez más, pero su manager le encontró lo que parecía ser una '59 Les Paul. En realidad era una copia hecha a mano por el luthier Chris Derrig. Slash se enamoró de ella y pronto utilizó la nueva guitarra para escribir el riff de «Sweet Child O'Mine».

Desde entonces la guitarra se ha convertido en su instrumento fundamental, tanto para trabajo en estudio como para las actuaciones. Hoy en día ha sido retirada por las tensiones de las actuaciones en directo, pero el cariño de Slash por las Les Paul ha continuado. De hecho la empresa ha presentando no una, sino dos ediciones limitadas hechas de encargo llamadas Slash Les Paul, la primera color fuego con incrustaciones de madreperla y el logo Snakepit pintado a mano, la segunda es un instrumento bastante más austero de color tabaco.

ARRIBA: *El manejo que posee Slash de la Gibson Les Paul destaca aún más cuando se comprende que él es casi un autodidacta que aprende, principalmente, imitando los grandes riff de los discos.*

«Live and Let Die»

DISCO: *USE YOUR ILLUSION I*
LETRA: **PAUL MCCARTNEY, LINDA MCCARTNEY**
GRABACIÓN: **A & M STUDIOS; RECORD PLANT; STUDIO 56; IMAGE RECORDING, HOLLYWOOD**
PRODUCTORES: **MIKE CLINK, GUNS N'ROSES**

Ésta es la parte de la canción en la que la sección de cuerda orquestal toca el mismo riff que la banda. Si quieres tocar con el disco deberás afinar tu guitarra bajándola un semitono. Este riff se toca en esta tablatura en las tres cuerdas superiores (1.ª, 2.ª y 3.ª). Practica un sonido distinto de cada nota del riff. Mantén la coordinación tocando con el disco.

RIFF BÁSICO DE LA CANCIÓN

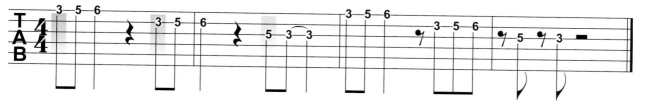

ASÍ ES COMO SE HACE

1 Utiliza los dedos índice, medio y anular para ascender por los trastes de la 1.ª cuerda. La práctica te ayudará a tocar solos de notas rápidas con más facilidad.

2 Éste es el mismo riff, pero en la 2.ª cuerda. Intenta moverte con facilidad entre los dos. Imaginar el sonido de la orquesta te ayudará a mantener la coordinación.

3 Estas notas descendentes se tocan con el anular y el índice en la 3.ª cuerda. La última nota es Si bemol (mantenla y hazla sonar).

KURT COBAIN

1967-1993
BANDA: **NIRVANA**
MAYOR FAMA: **DÉCADA DE 1990**

Igual que Kurt Corbain era el epítome de la estrella antipop, un ídolo que odiaba ser idolatrado, también era el definitivo héroe antiguitarra, un maestro del riff que sentía placer al desafinar con instrumentos de departamentos de oportunidades. En su banda Nirvana, su punto fuerte no era la sutilidad o la técnica, sino la pasión pura y la dinámica más brutal.

DERECHA: *La pureza de la interpretación de Kurt Cobain era la característica calidad de grunge (sucio) y una reacción directa en contra de la destreza musical que mostraban muchos guitarristas en el mundo del rock duro.*

Si se pudiera resumir la contribución de Cobain a la interpretación de la guitarra, sería la perfección del contraste bajo/alto. Él no lo inventó (The Pixies estaban haciendo algo parecido unos años antes), pero Cobain se dedicó a alternar bajos con altos hasta un extremo desfibrado.

Kurt Donald Cobain, hijo de Wendy y Donald Cobain, nació el 20 de febrero de 1967 en Aberdeen, estado de Washington. Su madre era camarera de cocktail y su padre mecánico de automóviles. En el instituto empezó a escuchar rock punk y al cumplir 14 años le compraron su primera guitarra. Dejó el instituto unas semanas antes de su graduación para conseguir un trabajo y empezó a tocar en bandas. En 1986 formó Nirvana con Krist Novoselic al bajo y, finalmente, Dave Grohl a la batería. Su primer disco, *Bleach*, salió en 1989 y sólo tuvo un éxito menor, pero hacían constantes giras y firmaron con Geffen Records, quienes lanzaron su segundo disco, *Nevermind*, que incluía el clásico riff de guitarra de la década de 1990, «Smells Like Teen Spirit», junto con canciones como «Lithium» que mostraban su dinámica de silencio/alto. Sin embargo, a medida que lograban el éxito, la vida de Cobain se hundía en el abuso de las drogas y la aversión por sí mismo. Se casó con Courtney Love y grabó un nuevo trabajo, *In Utero*, pero evidentemente fue completamente decidido a su autodestrucción y, en 1993, una semana después del concierto de Múnich, fue hospitalizado en estado de coma. Después de despertarse y marcharse voluntariamente, fue encontrado muerto tres días más tarde en su propia casa, a causa de una herida causada por un disparo.

LAS FENDER DE KURT

Kurt Cobain tocaba normalmente con guitarras Fender Mustang o Fender Jaguar, modelos para zurdos. No eran una elección normal para un guitarrista de sus características, ya que eran guitarras bastante baratas sin la calidad de la Stratocaster o ni siquiera de la Telecaster.

Kurt Cobain empezó a tocar con ellas por razones económicas (especialmente relevante, es su inclinación a destrozar guitarras sobre el escenario. En una ocasión se calculó que había destrozado más de 300 guitarras). Sin embargo, de carácter perverso como era, también los defectos atraían a Cobain hacia esos modelos. Una vez comentó de la Fender Mustang: «Mi guitarra favorita es la Fender Mustang. Es realmente pequeña y resulta casi imposible mantenerla afinada. Tiene un diseño terrible. Si quieres subir la altura de las cuerdas, tienes que desafinar todas las cuerdas, quitar el puente, girar esos pequeños tornillos que hay debajo del puente y tener la esperanza de que los hayas subido lo suficiente. Luego pones de nuevo el puente y afinas todas las cuerdas. Si has atornillado demasiado, tienes que repetir todo el proceso. Pero me gusta, de ese modo todo suena como si estuviera muy borracho y tropiezo con las cosas por accidente. Supongo que no me gusta ser tan familiar con mi guitarra». Es difícil imaginar una manera más inusual de abordar la guitarra.

A lo largo de su carrera a Cobain le ha resultado difícil decidirse entre la guitarra Mustang y su hermana Jaguar. La guitarra que tocó en la mayor parte de *Nevermind* era una resplandeciente Fender Jaguar (de un rojo descolorido). Finalmente, incapaz de decidirse entre las dos, y ahora lo suficientemente rico y famoso como para tener lo que quisiera, convenció a Fender para que le hiciera una guitarra, la Jag-Tang (una bestia mutante, como sugiere el hombre, que era mitad Jaguar y mitad Mustang).

ABAJO: *El empleo de las baratas guitarras Fender por parte de Kurt Cobain se reflejó en su estilo de interpretación, que con frecuencia se caracterizaba por una técnica chapucera (de modelos ortodoxos) y una afinación cuestionable, pero siempre produciendo un gran sonido.*

«Smells Like Teen Spirit»

DISCO: *NEVERMIND*
LETRA: **KURT COBAIN, KRIS NOVOSELIC, DAVE GROHL**
GRABACIÓN: **SOUND CITY, LOS ÁNGELES**
PRODUCTOR: **BUTCH VIG**

Una fantástica introducción a una canción clásica de Nirvana. Todos son acordes de quinta en las cuerdas graves, por tanto debes asegurarte de mantener firmes las posturas cuando te mueves por el diapasón. Es mejor escuchar el disco para conseguir el ritmo con la mano de rasguear. La primera parte del riff se toca limpia, sin distorsión, luego entra la distorsión para dar energía al riff.

RIFF BÁSICO DE LA CANCIÓN

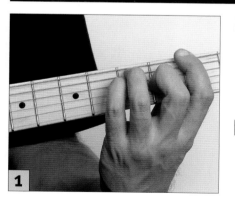

ASÍ ES COMO SE HACE

1 Aquí el índice pisa el primer traste de la 6.ª cuerda, mientras el anular y el meñique pisan las cuerdas 5.ª y 4.ª en el traste 3.º.

2 La postura del acorde baja una cuerda, el dedo índice pisa el traste 1.º de la 5.ª cuerda, el anular puede pisar todos los trastes de las cuerdas 4.ª, 3.ª y 2.ª.

3 El índice pisa el 4.º traste de la 6.ª cuerda, el anular y el meñique el 6.º traste de las cuerdas 5.ª y 4.ª.

4 Para el último acorde, la postura cae de nuevo una cuerda, con el índice pisando el 4.º traste de la 5.ª cuerda y el anular pisando el 6.º traste de las cuerdas 4.ª, 3.ª y 2.ª.

JACK WHITE

1975-
BANDA: **THE WHITE STRIPES**
MAYOR FAMA: **DESDE 2000**

Jack White es un hombre con una misión: llevar al rock'n'roll a sus orígenes. Base del grupo The White Stripes, surgió como un autor de letras, guitarrista y vocalista formidable capaz de tocar diferentes estilos, desde el folk blues hasta el puro estilo de rock de Led Zeppelin, pasando por su demostración de afinaciones. El tercer disco de la banda, *White Blood Cells* de 2001, colocó al dúo al frente de una nueva ola de bandas de rock'n'roll. También fue capaz de la admirable proeza de gustar tanto a los chicos MTV como a sus padres por mezclar lo sofisticado con lo primitivo, añadiendo un estilo clásico por instinto.

El nombre de pila de Jack White es John Anthony Gillis y nació el 9 de julio de 1975 en Detroit. Tocó en bandas punk y bandas de garaje antes de formar The White Stripes con su entonces esposa Meg (aprovechándose del rumor de que eran hermanos como truco comercial). Su vuelta al estilo original es evidente tanto en su interpretación, que se inclinaba tanto hacia Dave Davies de The Kinks como hacia Jimmy Page de Led Zeppelin, como por la elección de su equipo. En el corazón del sonido de White se encuentra su guitarra principal: una '64 Valco Airline. En el escenario, White lleva tres guitarras: la Airline, una Kay de cuerpo hueco con afinación abierta en La y una eléctrica japonesa sin nombre. La conecta a un pedal DigiTech Whammy y a un Electro-Harmonix Big Muff, antes de llegar simultáneamente a una Fender Twin Reverb y a un extraño combo de 100 W Silvertone 6x10.

Algunos encuentran en esta afición por el equipo vintage, que se extiende también a su trabajo en estudio, una reacción tímida. Pero cualquiera que sea tu preferencia –analógica o digital– es innegable que Jack White comprende el poder primitivo del rock'n'roll. Cualquiera que escuchara un riff clásico como el de «Seven Nation Army» se convencería de ello.

DERECHA: *En The White Stripes, Jack White ha limado la música rock hasta llegar a su origen más absoluto: guitarra distorsionada y golpe de tambor al fondo.*

GUITARRA VALCO AIRLINE

Al igual que el rock punk se rebela contra valores establecidos de la industria de la música, así los guitarristas punk se rebelan contra el saber convencional de la guitarra. No por ello las Les Paul y Stratocaster dejan solas a las Paul Reed Smith y a trabajos de alta calidad hechos por encargo.

El guitarrista punk, Johnny Ramone, prefería las Mosrites de la década de 1960; Kurt Cobain se fue a por las hermanas feas de la gama Fender: Mustang y Jaguar; Jack White dio un paso más tocando una Valco Airline de 1964 modelo JB Hutto, una guitarra que muchos intérpretes considerarían buena para hacerse una foto con ella, pero a los que nunca se les ocurriría tocar con ella. Está hecha de fibra de vidrio (o «Res-O-Glas» como la llaman los fabricantes) que hace que resulte difícil mantenerla afinada. No hay modo de ajustar la pastilla o la altura de las cuerdas con respecto al diapasón. Es una guitarra barata y es algo de lo que Jack White es muy consciente. Como dijo de sí mismo: «Tocar esa guitarra me hace sentir que cojo algo que está roto y lo hago funcionar. Está hueca, está hecha de plástico, y da la impresión de que se va a caer a pedazos. La pastilla delantera está rota, pero la pastilla de agudos tiene un asombroso agarre. Nunca he tenido que cambiar los trastes ni nada. Así es como la encontré, a excepción de unos afinadores nuevos».

Cada vez más buscada en la actualidad gracias a Jack White, la fábrica de Valco de Chicago, filial de Nacional-Dobro, fabricó Airline Guitars, y la mayoría de ellas las vendieron gigantes de la venta por correo como Montgomery Ward. Su otro modelo popular fue la Silvertone y, durante la década de 1960, Valco fabricó las dos guitarras que se transportaban en camión. En la actualidad, las guitarras se encuentran normalmente en Ebay, donde, en la tienda de instrumentos, ya no existen las gangas que había antes de que llegara Jack White.

DERECHA: *La Valco Airline no ha conseguido mucha calidad ni sofisticación técnica, pero su peculiar sonido ha hecho que la elijan guitarristas como Jack White. Las vintage se pueden vender por varios miles de dólares.*

«Seven Nation Army»

DISCO: *ELEPHANT*
LETRA: JACK WHITE
GRABACIÓN: TOE RAG STUDIOS, LONDRES
PRODUCTOR: JACK WHITE

Son estupendos acordes de quinta que requieren que pongas más fuerte el amplificador y ¡toques bien alto! Una vez más observa el intervalo de dos trastes. Asegúrate de que tocas la nota más baja primero para dar máximo efecto. Acostúmbrate a mover la postura por el diapasón. Empieza lentamente y gana rapidez. La tablatura muestra el riff con afinación barítona, pero puedes tocar con afinación normal utilizando las cuerdas 5.ª, 4.ª y 3.ª.

RIFF BÁSICO DE LA CANCIÓN

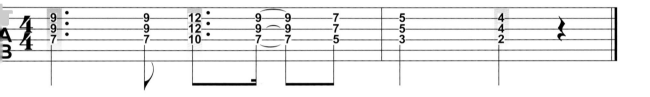

ASÍ ES COMO SE HACE

1 Utiliza el índice en el 7.º traste y el anular y el meñique para pisar el 9.º traste. Practica tocar estos acordes con fuerza.

2 Golpea el primer acorde dos veces, luego haz un slide hacia arriba, hacia esta postura, en los trastes 10.º y 12.º. Concéntrate en mantener la postura.

3 Deja que suene este último acorde, los dedos mantendrán la misma postura. Utiliza solamente grandes golpes descendentes con la púa.

GUITARRISTAS DE BLUES

Hoy en día, cuando pensamos en el blues, pensamos inmediatamente en la guitarra. Sin embargo, no siempre ha sido así. Si nos remontamos a la década de 1920, cuando se estaban haciendo los primeros discos con la palabra «blues» en el título, se grababan con piano, estilo más cercano al jazz y al gospel del mismo período. Si escuchas, por ejemplo, grabaciones del ídolo del blues de estos años, Bessie Smith, buscarás en vano una parte interpretada con guitarra. En vez de ello oirás sofisticados arreglos de piano y cobres, tocados por intérpretes como Fletcher Henderson y Coleman Hawkings, o incluso por Benny Goodman.

ABAJO: *T-Bone Walter es una de las leyendas de la guitarra blues, y en él fue creciendo un gran cariño por los instrumentos durante su adolescencia.*

Los orígenes de la guitarra blues están vinculados a un único estilo de blues (que tuvo relativamente poco impacto comercial en la época, pero que ha demostrado tener una enorme influencia desde entonces). Se trata del country blues, en particular el Blues del Delta del Mississippi. Los blues del Delta empezaron a surgir a comienzos del siglo xx en las plantaciones de algodón que bordeaban el río. Estas plantaciones tenían, a menudo, el tamaño de una ciudad pequeña y los obreros negros que trabajaban en los campos podían pasar toda su vida en aquel lugar, en unas condiciones que apenas habían cambiado desde la abolición de la esclavitud ocurrida una generación antes.

En una de esas plantaciones, la de Dockery, vivía un joven llamado Charley Patton, que se iba a convertir en el padre del blues del Delta. No fue el inventor del estilo. En realidad, las raíces se pueden remontar hasta los músicos africanos occidentales que cantaban y tocaban un instrumento parecido a la guitarra que se llamaba kora. El mismo Patton aprendió a tocar y a cantar por los músicos más mayores que vivían en la plantación, entre ellos Henry Sloan. Sin embargo, Patton fue el primero que grabó y el que evolucionó profesionalmente en la música.

Lo que realmente marcó el estilo de Charlie Patton (y a todos los primeros hombres de blues del Delta) fue que la guitarra ya no se usaría únicamente de acompañamiento, destinada a mantener la melodía vocal como hace el piano. En vez de ello, proporcionaba un fuerte contrapunto, incluso una extensión de la voz humana. El cantante cantaba una línea y la guitarra le respondía.

PIONEROS DEL BLUES

Charlie Patton iba a ejercer una enorme influencia en guitarristas posteriores. Su protegido inmediato fue el gran Son House, responsable de discos como el de «Death Letter». Son House, a su vez, iba a ejercer una gran influencia en un joven músico llamado Robert Johnson, quien, en parte, gracias a los legendarios que le rodearon, se ha convertido en el único hombre de blues country del que hasta los oyentes más casuales han oído hablar.

Robert Johnson introdujo la frase de bajo boggie, tocada en las cuerdas graves de la guitarra, lo cual define ahora prácticamente lo que pensamos que es «guitarra blues». Su técnica de deslizamiento era la más desarrollada hasta ese momento, y añadió un repertorio de bajadas, vueltas atrás y repeticiones que eran casi increíbles (y que los mejores guitarristas del mundo han tardado décadas en sacar). A nadie le importa el rumor de que Johnson había vendido su alma al diablo una noche en el cruce de carreteras cercano a la plantación de Dockery.

Sin embargo, el Delta del Mississippi no era el único lugar que producía músicos de blues country. Entre los contemporáneos notables de Charlie Patton se encuentra un formidable trío (por alguna extraña coincidencia, ninguno de ellos podía ver). Eran Blind Lemon Jefferson de Tejas, Blind Willie MacTell de Georgia y Blind Blake de Jacksonville (Florida). Blind Blake tenía un prodigioso estilo de guitarra derivado del ragtime, con el que los músicos hasta la actualidad han tenido problemas de reconstrucción. Aunque fue famoso en su día, desapareció sin dejar rastro a principios de la década de 1930, por tanto nunca se redescubrió ni se sometió al escrutinio de los eruditos del blues. Blind Willie MacTell.

ARRIBA: *Robert Johnson tuvo una vida corta y dura durante las primeras décadas del siglo xx, sus soberbios blues influirían despúes en Eric Clapton o Keith Richards.*

ARRIBA: *Las guitarras Gibson han sido muy elegidas por los grandes guitarristas del blues. B. B. King ha sido uno de sus mayores defensores.*

fue otro formidable talento de la guitarra que combinó el empleo de la técnica de deslizamiento y del punteo con los dedos en canciones clásicas como «Statesboro Blues» para conseguir un sonido que parecía que se tocaba con dos guitarras a la vez.

Blind Lemon Jefferson fue el que más influyó de todos en su época. Fue el primer hombre que tuvo un auténtico éxito comercial interpretando blues. A diferencia de las mujeres de blues, como Bessie Smith que había llevado la voz cantante antes que él, nunca tuvo una banda, tocaba solo, acompañándose con la guitarra en canciones que definían el género, como «Matchbox Blues», «See That My Grave Is Kept Clean» y «Black Snake Moan».

Desde entonces, Tejas ha seguido siendo una fortaleza del blues con artistas como T-Bone Walter, Albert King o Stevie Ray Vaughan. Sin embargo, fueron los hombres de blues del Delta del Mississippi los que iban a ejercer una influencia dominante en lo que estaba por llegar. Poco a poco, durante los años siguientes a la muerte de Robert Johnson, el blues se dirigió hacia el norte, por el río, hasta Memphis, luego hasta Chicago, y por el camino se iba «electrificando». De hecho, el primer intérprete de blues eléctrico importante fue el tejano T-Bone Walter, cuya interpretación con una Gibson modulada en jazz conmocionó al mundo del blues. No obstante, la guitarra blues eléctrica pasó a la siguiente etapa de la mano de los talentos nacidos en el Delta, entre ellos B. B. King y Muddy Waters.

B. B. King es, muy probablemente, el guitarrista de blues eléctrico más importante de la última mitad de siglo. Su estilo, lleno de vibrato y de invención melódica, ha influido tanto que es difícil concebir un solo de guitarra blues contemporáneo que no se caracterice, al menos, por un par de frases reconocibles de King.

Si B. B. King representaba la sofisticación en la interpretación de blues, su contemporáneo John Lee Hooker mantuvo vivas sus raíces primitivas anárquicas. Los cortes de Hooker, como el de «Boogie Chillen», son boogies de un acorde en los cuales la guitarra sube constantemente y se emplea para proyectar ritmo y amenaza.

Si existiera un punto medio entre King y Hooker sonaría, probablemente, como el blues de Muddy Waters. Muddy Waters empezó a tocar blues country en el Delta, pero cuando llegó a Chicago él definió el sonido de raíces en el Delta, jactancioso, agresivo de ciudad, con su posterior confianza en los vocales y un feroz ataque de guitarra slide. Tal maravilla técnica nunca había sonado tan amenazadora.

O al menos no hasta que empezaron a surgir contemporáneos de Muddy, como Bo Didley y el guitarrista de Howlin'Wolf, Hubert Sumlin. Sumlin era un intérprete con inventiva, tanto en solos como en ritmos, detrás del rugido primitivo de Wolf, mientras que Bo Didley consiguió adelantar la dinámica de Muddy con el boggie de un acorde de John Lee

Hooker y los ritmos africanos que creaban un sonido tan irresistible y pegadizo, que incluso consiguió llegar a la audiencia blanca de rock'n'roll.

Hasta este momento de su historia, la evolución de la guitarra blues (y del blues mismo) había sido clara. Era una música que tenía su origen en los negros del Sur rural en forma de folk acústico, y había evolucionado hacia la música eléctrica de los negros urbanos. Aunque ahora se iba a producir un cambio inesperado.

Al otro lado del Atlántico, en el Reino Unido, una generación de muchachos blancos había punteado blues y estaba intentando tocarlos. Al principio sus esfuerzos resultaban meras imitaciones, pero, poco a poco, algunos de estos británicos empezaron a acercarse en serio a esta forma, y también a añadir elementos propios. A la cabeza se encontraba un joven londinense llamado Eric Clapton, cuyo estilo se debía plenamente a B. B. King y a su feroz tocayo tejano, Freddie King. Todavía se debate si Clapton era, en realidad, un músico de blues tan diestro o tan original como sus héroes. Sin embargo, lo que sí es cierto, es que se convirtió en el primer «héroe de guitarra» y conquistó a una enorme audiencia nueva blanca para el blues. Gracias a su popularidad, hombres de blues de Chicago, como Muddy Waters y Buddy Guy, cuyas carreras se habían ido apagando por el auge de la música soul en las comunidades negras, disfrutaron de la vida de nuevo.

También en América empezaron a surgir hombres de blues blancos. Chicago nos dio a Michael Bloomfield, quien colaboró con Bob Dylan en el trabajo de su primera época eléctrica. Ese otro gran centro del blues, Tejas, nos dio primero al albino Johnny Winter, un gran intérprete cuyo mejor momento se iba a producir con los discos que compartió con Muddy Waters a finales de la década de 1970, y más tarde no dio a Stevie Ray Vaughan. Es posible que Vaughan sea el hombre de blues blanco más influyente de todos. No era un mero seguidor, también era un innovador, y es raro escuchar a un guitarrista joven de blues hoy en día, tanto si es blanco como si es negro, que no deba algo al estilo definitivo de SRV.

ABAJO: *La marca comercial de Albert King era su guitarra Flying V, un instrumento que pocos músicos contemporáneos adoptaron.*

HISTORIA DE LA GUITARRA SLIDE

Existen muchas teorías sobre el origen de la guitarra slide. Es famosa la declaración de W. C. Handy de que escuchó a un músico desconocido utilizar un cuchillo sobre las cuerdas de su guitarra. Pero este desconocido hombre de blues no había inventado el estilo. Durante siglos, músicos de todo el mundo habían creado sonidos arrastrando objetos por los instrumentos de cuerda. Un ejemplo es el arco musical africano occidental. Es un instrumento de una cuerda al que se une una caja sonora de calabaza, se sujeta contra el cuerpo mientras el intérprete puntea en la cuerda utilizando un hueso o metal para variar el tono.

Probablemente era el antepasado de un instrumento de arco llamado «jitterbug» que utilizaban los músicos afroamericanos en los estados americanos del sur a principios de siglo. El jitterbug, al igual que el arco, tiene una cuerda, pero esta vez está unido al suelo en vez de a una calabaza. Para puntear, se arrastra un objeto por la cuerda para acompañar a canciones sencillas. Producía un sonido de lamento muy apropiado para los primeros blues. La técnica de raspado se adaptó a la guitarra, sin duda, una vez que empezaron a aparecer modelos baratos en catálogos de venta por correo que llegaban incluso a zonas rurales atrasadas.

Mientras tanto, una clase diferente de guitarra slide, precursora de la que ahora conocemos como lap steel, era pionera en Hawai. Llegó a ser muy popular después de que un joven guitarrista hawaiano llamado Joseph Kekeku realizara algunas grabaciones populares utilizando la guitarra steel a principios de siglo. Era un tipo de sonido extraño, chillón, que se hizo muy popular y la lap steel de estilo hawaiano empezó a venderse más que las guitarras de estilo español. Muy pronto el uso del slide empezó a introducirse en todos los estilos de música, desde los primeros blues a la música de montaña de los Apalaches. Sin embargo, cualquiera que sean los orígenes de la guitarra slide, es cierto que triunfó por su asociación con el blues.

BLUES DE 12 COMPASES

El blues de 12 compases (12 bar blues) es la base principal de la inmensa mayoría de los blues. Por tanto, para empezar a tocar, deberás saber lo que es un blues de

ABAJO: *Stevie Ray Vaughan tenía un talento comparable al del gran Jimi Hendrix, pero su vida terminó pronto en un accidente de helicóptero ocurrido en 1990.*

12 compases. El concepto básico del blues de 12 compases es la progresión I-IV-V, donde I, IV y V representan los acordes que vas a utilizar.

Cuando toques una progresión básica de blues, sólo necesitarás utilizar tres acordes. El principio de I-IV-V te dice qué acordes emplear. Es, básicamente, una aproximación muy simplificada para representar el acorde que se emplea después. Se basa en un sistema numérico, unido a las letras del alfabeto. Digamos, por ejemplo, que estás tocando en C (Do), entonces el acorde C será el I. Luego cuentas tres letras más del alfabeto hasta llegar a la F (Fa), que será el acorde IV. Cuenta una letra más y llegarás al acorde G (Sol) que será el V. No es un sistema infalible, pero funciona para las claves de La, Do, Re, Mi y Sol (A, C, D, E y G), que te dejarán continuar por el momento. Así, para la clave de La, estaremos usando La-Re-Mi (A-D-E) como nuestra progresión I-IV-V. De igual modo si empiezas a contar desde la E (Mi), descubrirás que para la clave de E emplearemos Mi-La-Si (E-A-B) como nuestro I-IV-V. Por cierto, es terminología de la teoría musical llamar a la I «tónica», a la IV «subdominante» y a la V «dominante».

Así que, ¿cómo utilizamos la progresión de acordes? El concepto básico del blues de 12 compases es crear y resolver tensión. Una vez que te has acostumbrado a la progresión, verás que V suele crear tensión en la progresión y la I resuelve, por lo general, la tensión. Puede resultar útil pensar en la progresión de 12 compases como si estuvieran divididos en tres secciones menores de cuatro compases cada una.

He aquí una muestra de progresión de 12 compases: I-I-I-I-IV-IV-I-I-V-IV-I-I/V. Los cuatro primeros compases (I-I-I-I) sólo son un planteamiento, utilizando el acorde I de forma relajada. En el segundo segmento de cuatro compases (IV-IV-I-I) se introduce una pequeña tensión pasando al acorde I en los compases séptimo-octavo. Luego en el tercer segmento de cuatro compases (V-IV-I-I/V) la tensión aumenta en el noveno compás, cuando pasamos, por primera vez, al V acorde. La tensión se resuelve gradualmente en los compases 10-11 antes de emplear un «cambio completo» de dos acordes para establecer los siguientes 12 compases.

ABAJO: *Eric Clapton, visto aquí en su juventud, ha sido una de las figuras más importantes de la guitarra moderna y no sólo por introducir al blues en la corriente principal de la música.*

ROBERT JOHNSON

1911-1938
BANDA: **SOLISTA**
MAYOR FAMA: **DÉCADA DE 1930**

Robert Johnson se encuentra al principio de todo. Su estilo blues country es la piedra angular del blues moderno. Su interpretación a la guitarra sigue sirviendo de modelo de oro a acólitos como Eric Clapton y Keith Richards. Cuando se reunieron sus escasas grabaciones en un CD doble en 1990, se vendieron más de un millón de copias, ayudado por las leyendas que le rodean.

DERECHA: *Robert Johnson vivió poco tiempo. Murió a los 27 años después de haberse envenenado deliberadamente. Sin embargo, dejó su huella en el mundo de la guitarra por su característica interpretación.*

Por lo poco que sabemos de él, Johnson tuvo una vida corta y una muerte violenta. Entre las muchas leyendas que le rodean, la principal es la que cuenta que él adquirió su extraordinaria habilidad para la guitarra gracias a un pacto que hizo con el mismo diablo durante una oscura noche, después de encontrarse con él en un cruce de Mississippi.

Aunque es una gran historia, la verdad es más prosaica. En realidad Johnson estudiaba y practicaba mucho. Aprendió mucho de su primer ídolo, la estrella del Delta, Lonnie Johnson (al igual que de Skip James y Kokomo Arnold). Desarrolló su estilo slide después de escuchar mucho a los hombres de blues del Delta, Charley Patton y Son House. El gran salto hacia su propia interpretación a la guitarra tuvo lugar a mediados de la década de 1930, después, durante un año aproximadamente aprendió de un hombre de blues que no había grabado discos y que se llamaba Ike Zinneman, un hombre al que le gustaba ensayar a altas horas de la noche en el cementerio local. Después de esta enseñanza, Johnson parecía dominar por completo su instrumento, y era necesaria cierta habilidad para cantar y tocar en cualquier estilo con el fin de poder vivir de músico ambulante.

Sin embargo, fue por sus números de blues por lo que brilló individualmente. Introdujo la frase de bajo boggie tocada en las cuerdas graves de la guitarra, lo cual define prácticamente la guitarra blues en la actualidad. Añade a eso un repertorio de bajadas, vueltas atrás y repeticiones y Johnson había llevado a la guitarra a la siguiente etapa.

EL ESTILO DE BAJO CON EL PULGAR DE ROBERT JOHNSON

Según continúa la historia, a principios de la década de 1960, cuando los Rolling Stones comenzaban, Keith Richards enseñó a Mick Jagger un disco de Robert Johnson. Jagger lo escuchó y le preguntó quién era el bajo. Keith se rió y le dijo que no había ninguno.

Lo que Johnson estaba haciendo era tocar una especie de frase de bajo utilizando el dedo pulgar sobre las tres cuerdas graves de la guitarra, mientras tocaba la melodía en las dos cuerdas más agudas, todo al mismo tiempo. Es un estilo que se ha convertido en básico para lo que pensamos que es hoy la guitarra blues. Las notas graves, tocadas con el pulgar, dan el balanceo del boogie. No es una idea musical nueva, es el mismo principio básico del pianista que utiliza la mano derecha o la izquierda para tocar las notas graves. Es un poco más difícil en una guitarra porque la misma mano tiene que tocar las dos partes simultáneamente. Por supuesto, Robert Johnson estaba dotado de manos grandes y dedos largos, más de lo normal, lo cual era una ayuda, pero para dominar esta técnica, realmente, tienes que practicar mucho. Aunque, una vez dominada es una técnica que se adapta de un modo maravilloso y ni siquiera será necesario variarla mucho. Robert Johnson utilizó patrones de bajo con el pulgar muy parecidos en casi la mitad de sus canciones grabadas, entre ellas «Love in Vain», «Me and the Devil», «32-20 Blues», «Stop Breakin' Down», «Steady Rollin' Man» y «Honeymoon».

IZQUIERDA: *Las manos grandes y los dedos largos de Robert Johnson resultan evidentes en esta fotografía.*

«Crossroad Blues»

DISCO: *GRABACIONES COMPLETAS*
LETRA: **ROBERT JOHNSON**
GRABACIÓN: **GANTER HOTEL, TEJAS**
PRODUCTOR: **DATO NO DISPONIBLE**

Éste es un gran golpe de blues que comienza en la parte alta del mástil de la guitarra. Intenta conseguir ese sonido vibrante en solitario de Robert Johnson cuando toca las primeras notas de «Crossroad Blues», escucha cómo se oye alto antes de bajar finalmente un semitono. Mantén tus notas limpias para lograr ese sonido vibrante. Utiliza golpes descendentes para conseguir ese incesante ritmo durante la abertura.

RIFF BÁSICO DE LA CANCIÓN

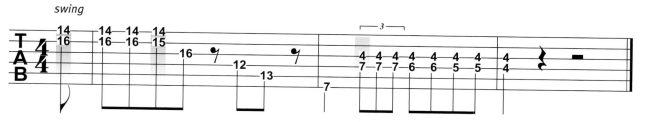

ASÍ ES COMO SE HACE

1 Aquí se muestra a los dedos índice y anular en la postura para tocar las notas Fa sostenido y Re sostenido (F# y D#) en las cuerdas 1.ª y 2.ª.

2 Suelta el dedo anular para que el dedo medio pueda tocar la nota Re en la 2.ª cuerda. Esto produce ese sonido descendente.

3 El riff se ha trasladado a las cuerdas 3.ª y 4.ª. Utiliza el índice y el meñique para estas notas. Te permitirá estirarte al máximo entre cada nota.

GUITARRA SLIDE

Robert Johnson es uno de los primeros nombres en los que piensan la mayoría de las personas cuando se trata de tocar guitarra slide en blues acústicos. Sin embargo, no fue Johnson el que la inventó. En realidad, se remonta a 1903. W. C. Handy (el hombre al que le gustaba llamarse «el padre del blues») contaba la historia de que se quedó dormido sobre un banco de la estación de ferrocarril de la ciudad de Tutwiler, en el Delta del Mississippi, mientras esperaba al tren. Le despertó el sonido de un hombre que cantaba y tocaba la guitarra de un modo poco ortodoxo, en vez de pisar los trastes del mástil con los dedos, estaba deslizando un cuchillo por las cuerdas, subiendo y bajando.

Es, evidentemente, la primera forma de tocar guitarra slide. Básicamente, la guitarra slide es la técnica de utilizar un objeto suave y duro (normalmente de metal o un cilindro de cristal, el cuello de una botella, por ejemplo, mejor que un cuchillo) para cambiar los sonidos de las cuerdas. Los orígenes de este estilo se remontan a los instrumentos africanos de una cuerda y también a los estilos de guitarra hawaiana. Los primeros hombres de blues que utilizaron la técnica de la guitarra slide son Eddie «Son»

House, Tampa Red antes de Robert Johnson, y después Muddy Waters y Elmore James. Lo que ofrece a los guitarristas es toda una variedad de efectos (glissandos, voces) y también acceso a las notas entre los trastes. Por tanto, es un estilo de incalculable valor para todo aquel interesado en tocar guitarra blues acústica. Hay muchos slides disponibles en el comercio, o si quieres ser tradicional puedes utilizar el cuello de una botella o una barra de labios. Después de afinar la guitarra en Re abierta, empieza a practicar.

IZQUIERDA: *Aquí se ve a un guitarrista de blues utilizando un slide profesional, aunque en la historia de los grandes guitarristas de blues se han utilizando desde botellas hasta cuchillos.*

«Me and the Devil»

DISCO: *GRABACIONES COMPLETAS*
LETRA: **ROBERT JOHNSON**
GRABACIÓN: **GANTER HOTEL, TEJAS**
PRODUCTOR: **DATO NO DISPONIBLE**

La tablatura muestra la postura de un acorde descendente que permanece igual cuando baja del 8.º y 9.º traste al 6.º y 7.º. Experimenta posturas similares en otras partes del mástil para lograr las combinaciones de notas poco corrientes y sonidos vibrantes que se oyen en muchas canciones de blues. Mantén regular el rasgueo cuando bajes por los trastes. Practica la precisión cuando muevas estas posturas en el mástil.

RIFF BÁSICO DE LA CANCIÓN

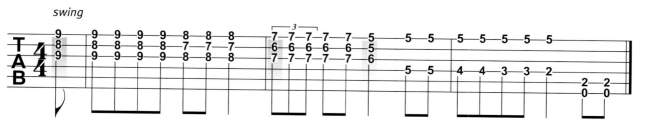

ASÍ ES COMO SE HACE

1 Utiliza el índice para pisar el 8.º traste de la 2.ª cuerda, el dedo medio en la 3.ª cuerda y el anular en la 1.ª cuerda.

2 Hemos bajado un tono. Cuando hayas tocado este acorde, el dedo anular se soltará del mástil para anticipar la siguiente posición.

3 Utiliza el dedo índice para pisar las cuerdas 1.ª y 2.ª y el 5.º traste, y el dedo medio para pisar el 6.º traste de la 3.ª cuerda.

T-BONE WALKER

1910-1975
BANDA: **SOLISTA**
MAYOR FAMA: **DÉCADA DE 1940**

T-Bone Walker fue el primer guitarrista en solitario de blues y, sin duda, uno de los mejores. La guitarra blues eléctrica moderna se puede remontar directamente hasta este pionero de Tejas, que conectó por primera vez un amplificador en 1940 aproximadamente, cambiando por completo la cara de la música con ese proceso. Todos los grandes guitarristas de blues posteriores tienen una deuda con él.

DERECHA: *El primer instrumento musical de T-Bone Walker fue el banjo, su madre le regaló uno cuando tenía 12 años de edad. Sin embargo, él deseaba tocar la guitarra, así que ahorró el dinero que obtenía por tocar en eventos sociales de la iglesia y se compró su primera guitarra al llegar a la adolescencia.*

Aaron Thibeault Walker nació el 28 de mayo de 1910 en Linden (Tejas). Su padrastro, Marco Washington, tocaba el bajo con la Dallas String Band, y T-Bone pronto aprendió lo básico de todo instrumento de cuerda. Un músico que tocaba normalmente con la banda fue el legendario Blind Lemon Jefferson, y el joven Walter empezó a ayudar al gran hombre de blues, cuando tocaba por los bares de Tejas.

Walter hizo su propio debut grabando en 1929 con un sencillo 78 para Columbia. En 1933 tocó con otro guitarrista llamado Charlie Christian quien, posteriormente, «electrificaría» el jazz del mismo modo que Walker lo hacía con el blues. Podo después Walker se trasladó a Los Ángeles y tocó en grandes bandas en directo, mientras disfrutaba de la nueva guitarra eléctrica en actuaciones en clubes, donde también desarrollaría sus acrobacias sobre el escenario, realizando proezas como la de tocar la guitarra por detrás de la espalda o con los dientes.

La interpretación a la guitarra de Walker en los discos era notablemente fluida y melódica. Firmó un contrato con Capitol Records y tuvo varios éxitos, entre ellos el inmortal «Call It Stormy Monday» de 1947. Otros éxitos fueron «T-Bone Jumps Again», en el que demostraba que podía hacer compases igual que melodía, y «T-Bone Shuffle» y «West Side Baby».

Walker siguió grabando hasta su muerte en 1975, pero, en la actualidad, es la potencia controlada del trabajo realizado durante la década de 1940 y principios de la de 1950 la que le señala como uno de los grandes del blues de todos los tiempos.

GIBSON ES 250

La guitarra que se asocia a T-Bone Walker es la Gibson ES 250, un impresionante instrumento de cuerpo hueco con un maravilloso sonido melódico. Era la segunda guitarra eléctrica fabricada por Gibson.

La ES 250 apareció por primera vez en el catálogo Gibson AA de 1940 con el eslogan: «Gibson ha creado la mejor guitarra eléctrica que se puede fabricar». Este instrumento de línea alta era una versión mejorada de la famosa ES 150. Se había perfeccionado significativamente y se distinguía del modelo de gama media anterior. Tenía un cuerpo más grande, diapasón, cabezal, afinadores y cola más lujosos, y una pastilla de barra con pequeñas láminas metálicas que actuaban como polos individuales para cada una de las cuerdas, a fin de lograr «la reproducción tonal máxima». La ES 250 completa, con funda, cuerda y amplificador EH 185, costaba la enorme cantidad de 250 dólares cuando se lanzó en 1940. Esto significa que su uso se limitaba a profesionales de éxito, es decir, músicos como T-Bone Walker. Charlie Christian, el gran intérprete de jazz, fue otro de los primeros que la adoptó. No sorprende porque él ya se había hecho famoso tocando el modelo anterior de Gibson, el ES 150. Entre otros usuarios notables de la década de 1940 se encuentran guitarristas de grandes bandas como Alvino Rey y Tony Mottola. El elevado precio de las ES 250 significó que se fabricaran en pequeña cantidad y hoy resulta difícil encontrar ese modelo. Un modelo original, completo, con su funda original y amplificador Gibson EH 185, fue vendido recientemente por 27.500 dólares, lo cual hace suponer que 250 dólares no fuera una mala inversión después de todo.

ABAJO: *T-Bone utilizó sus guitarras Gibson para llevar los riffs de blues acústicos tradicionales a la guitarra eléctrica.*

«Stormy Monday Blues»

DISCO: *BORN TO BE NO GOOD; STORMY MONDAY* (DIRECTO)
LETRA: T-BONE WALKER
GRABACIÓN: BLACK & WHITE RECORDS
PRODUCTOR: DATO NO DISPONIBLE

Es una gran melodía de blues lenta de T-Bone Walker, y suena mejor en una guitarra eléctrica o semiacústica. Son bonitos acordes para tocar, adaptar y añadir a tu repertorio. Lleva un poco de tiempo acostumbrar a los dedos para tocarla, por tanto practica el movimiento entre estas posturas. Esta melodía suena mejor si se toca lentamente y con tristeza.

RIFF BÁSICO DE LA CANCIÓN

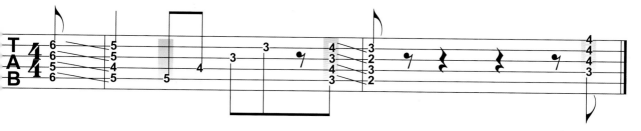

ASÍ ES COMO SE HACE

1 El dedo índice cubre las notas en el traste 3.º de las cuerdas 3.ª y 2.ª, el dedo medio en la 4.ª y el anular en el 5.º traste de la 5.ª cuerda.

2 El dedo índice en el traste 3.º de la 5.ª cuerda, el medio en la 3.ª, el anular en la 4.ª y el meñique pisa la 2.ª.

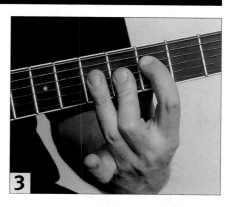

3 Aquí el dedo índice pisa el traste 3.º de la 4.ª cuerda y el dedo medio cubre el tercer traste de las cuerdas 3.ª, 2.ª y 1.ª.

B. B. KING

1925-
BANDA: **SOLISTA**
MAYOR FAMA: **DESDE LA DÉCADA 1950 HASTA LA ACTUALIDAD**

Durante más de medio siglo, B. B. King ha definido el blues para una audiencia mundial. Desde que comenzó a grabar en la década de 1940, ha sacado más de 50 discos. Excelente cantante de blues, también es uno de los guitarristas más influyentes de todos los tiempos. Sus contribuciones particulares son su peculiar uso de vibrato y el empleo de espacio en sus solos de guitarra. Donde guitarristas posteriores deforman las notas, King se especializa en tocar notas muy bien elegidas y las realza con técnicas diferentes (vibrato y estirado) para crear algo muy parecido a la voz humana. Si hay un guitarrista realmente capaz de hacer cantar a su instrumento, ese es, sin duda, B. B. King.

DERECHA: B. B. King ha sido uno de los intérpretes de blues que más ha trabajado en la historia. Su amor por las actuaciones en directo le ha mantenido sobre el escenario con más de 70 años.

Riley King nació el 16 de septiembre de 1925 en una plantación de Itta Bene (Mississippi), cerca de Indianola. Empezó a tocar en las esquinas de las calles para conseguir algunas monedas. En 1947 fue a Memphis en autostop, donde estuvo viviendo con su primo Bukka White, que ya era un destacado cantante de blues. Después de un tiempo actuó en un programa de la radio y le dieron el apodo de B. B. (Blues Boy).

No pasó mucho tiempo antes de que King consiguiera ser número uno en R&B con «The Three O'Clock Blues». Entonces empezaron las giras nacionales y en 1956 tocó la sorprendente cantidad de 342 noches. Se ha mantenido así desde entonces, tocando en todas partes, desde antros y salas de baile de sus primeros días a salas de conciertos y anfiteatros. Y por el camino, se ha convertido en el músico de blues más famoso de los últimos 40 años y uno de los estilistas de guitarra más identificables.

LUCILLE

A mediados de la década de 1950, mientras King estaba actuando en un baile en Twist (Arkansas), hubo una pelea entre algunos hombres del público que terminaron por provocar un incendio en la sala. La historia continúa diciendo que King entró corriendo de nuevo a la sala para salvar su guitarra, arriesgando su vida en el proceso. Posteriormente, después de descubrir que la pelea había sido por una mujer llamada Lucille, decidió darle ese nombre a su guitarra. Desde ese momento, ha llamado Lucille a cada una de sus guitarras de la marca Gibson.

La Lucille actual es una Gibson ES 355. B. B. King ha estado tocando con este modelo durante al menos 25 años. Anteriormente tocaba una ES 335. La principal diferencia entre las dos guitarras se encuentra en que la ES 355 tiene cuerpo macizo. A B. B. le gusta pensar que la ES 355 es el «hermano mayor» de la Gibson's Les Paul. Aunque King tiene una relación especial con las Gibson, ha tocado otras muchas guitarras en su vida. Su primera guitarra fue una Stella acústica y al principio de su carrera tocó y tuvo otras muchas diferentes: Fender, Gretsch y Silverstone, entre otras. En su publicidad, King hace hincapié en la idea de que la guitarra es una mujer. En 1968 llamó a un disco Lucille y escribió notas en la funda del disco: «Estoy loco por Lucille. Me ha llevado muy lejos, incluso me dio algo de fama... mucha fama, me mantiene vivo, es capaz de comer... Lucille me salvó la vida prácticamente en dos o tres ocasiones. Algunas veces llego a un lugar y no puedo decir nada... Algunas veces, cuando estoy triste, parece que Lucille intenta ayudarme, dice mi nombre... Es como una mujer, y es la única que he tenido y que parece, realmente, que dependo de ella. Me he casado y me he separado, pero Lucille nunca se separa de mí. Ella siempre ha estado conmigo».

«Sweet Sixteen»

DISCO: **VARIAS RECOPILACIONES**
LETRA: **B. B. KING, JOE BIHARI**
GRABACIÓN: **VARIAS GRABACIONES**
PRODUCTOR: **DATO NO DISPONIBLE**

Es una inconfundible introducción de B. B. King tocada en lo más alto del diapasón. El estirado de cuerdas de una nota a otra crea un único y maravilloso sentimiento de blues. Intenta acostumbrarte a tocar en el extremo más alto del diapasón. Examina siempre la afinación después de tocar notas con la técnica del estirado. Fortalece los dedos medio y anular para facilitar el estirado.

RIFF BÁSICO DE LA CANCIÓN

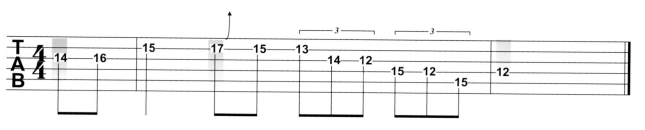

ASÍ ES COMO SE HACE

1 Puedes utilizar la técnica del ligado ascendente para tocar las primeras dos notas de esta introducción en los trastes 14.º y 16.º de la 3.ª cuerda.

2 Bajando hacia la 2.ª cuerda, el dedo medio puede pisar el 15.º traste de la 2.ª cuerda para dejar espacio para que el anular realice el maravilloso estirado.

3 Empleando los dedos medio y anular para tocar las notas y estirados en la parte alta del diapasón, puedes dejar que el índice toque las notas más bajas.

GIBSON LAB SERIES L5

B. B. King toca, generalmente, su guitarra Lucille por medio de un amplificador Gibson Lab Series. Lo que no es muy corriente es que el L5 sea un amplificador compacto más que de válvula. La mayoría de los guitarristas profesionales desprecian los amplificadores compactos, porque son baratos, tanto en el precio como en la calidad del sonido. ¿No estás seguro de la diferencia? Dicho con sencillez, los amplificadores de válvula tienen una serie de tubos que contienen muchos elementos científicos, como placas, rejillas y cátodos, cuyo fin es mover la energía y producir sonido. Un amplificador compacto sólo consta de circuitos y transistores integrados.

A lo largo de la historia, los amplificadores de válvula siempre han sido más caros, debido a la naturaleza y al número cada vez mayor de los componentes. A estos amplificadores también les afecta el clima, por tanto, son importantes la resistencia y fiabilidad de las válvulas. Los amplificadores de válvula son más pesados que los compactos debido al transformador adicional. Así que, ¿por qué les gusta a tantos guitarristas?

Básicamente lo que les atrae a los guitarristas es el sonido cálido de los amplificadores de válvula. Por otra parte ofrecen un sonido menos firme que los compactos, y bien puede ser uno de los factores por los que B. B. King prefería los amplificadores Lab Series.

El amplificador que combinaba con la guitarra Gibson Lab Series L5 era uno de 100 W, de dos canales (no conectados), y dos altavoces de 12" que se fabricaba a finales de la década de 1970 y principios de la de 1980. Tiene cuatro entradas, un compresor interno poco corriente, reverberación, un botón de «frecuencia media» que controla los medios del amplificador. También tiene salidas de altavoz, entradas de preamplificador, etc., pero no tiene circuito de efectos. Aunque el amplificador lleva la marca Gibson, en realidad lo fabricaba para Gibson una empresa llamada Norlin.

DERECHA: *Un joven B. B. King practica con una de sus «Lucille».*

«The Three O'Clock Blues»

DISCO: **VARIAS RECOPILACIONES**
LETRA: **B. B. KING, JULES BIHARI**
GRABACIÓN: **VARIAS GRABACIONES**
PRODUCTOR: **DATO NO DISPONIBLE**

Es un solo tocado principalmente en las primeras cuerdas. También te lleva a la parte más alta del mástil, por tanto, dominar este riff te permitirá subir y bajar con facilidad por el diapasón, lo que te ayudará a desarrollar la habilidad esencial para tocar buenos solos de guitarra. Practica el estirado de las notas en toda una melodía realizada en las primeras cuerdas. Para hacerlo deberás estirar las notas dos trastes más arriba.

RIFF BÁSICO DE LA CANCIÓN

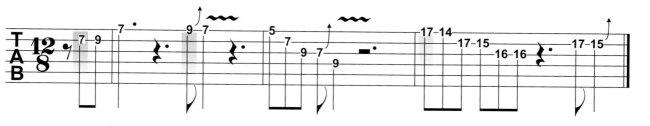

ASÍ ES COMO SE HACE

1 Las notas de la introducción se tocan en la 2.ª cuerda con los dedos índice y anular. Asegúrate de tocar estas notas con firmeza y claridad.

2 Ahora debes estirar esta nota Re bemol dos trastes más arriba hacia una Mi bemol, todas ellas en la 1.ª cuerda.

3 Aquí se muestra al dedo meñique pisando la 1.ª cuerda en el 17.º traste, mientras el índice está atrás preparado para pisar el 14.º traste.

SIGUIENDO A LA VOZ

Cuando le preguntaron sobre la cualidad casi vocal de su interpretación a la guitarra, B. B. King comentó: «Cuando canto, toco en mi mente. Cuando dejo de cantar con la boca, empiezo a cantar tocando a Lucille». Es una valiosa lección para aprender que tocar la guitarra puede parecerse a cantar, porque igual que un cantante expresa palabras envolviéndolas de emoción, añadiendo un ritmo o una tensión en particular, una guitarra puede expresar cadencias de notas de un modo expresivo y único.

King es un maestro en el empleo del vibrato para enfatizar únicamente la nota correcta, de un modo que la frase salta al oyente. Él entiende que si un guitarrista desea realmente comunicar emoción, no es necesario tocar muchas notas en una rápida sucesión. Sentimiento, y no destreza manual, es lo que desea el oyente. Lo que B. B. King nos enseña es que, al tocar guitarra blues, la economía y la expresión es lo que importa. Es algo que él ha aprendido por la experiencia de ser cantante además de guitarrista. La expresión de un cantante sale de un modo tan natural en su guitarra como en su voz.

La interpretación de King también está influenciada por generaciones anteriores de guitarristas de blues como Blind Lemon Jefferson y T-Bone Walker. Cuando llega la hora de su propia interpretación, utiliza estirados de cuerdas precisos y complejos con vibrato de mano izquierda para dar a la guitarra un sonido casi vocal. Su expresión respeta y alienta siempre el sentimiento de la canción, produciendo un trabajo con la guitarra que impone emoción (tanto si es triste y blues, o divertido y roquero) y satisface técnicamente.

IZQUIERDA: B. B. King ha expresado una cierta distancia hacia los «puristas» de la comunidad blues, pero más que cualquier otro artista ha llevado al blues a la corriente principal de la música.

«Sweet Little Angel»

DISCO: **VARIAS RECOPILACIONES**
LETRA: **B. B. KING, JULES BIHARI**
GRABACIÓN: **VARIAS GRABACIONES**
PRODUCTOR: **DATO NO DISPONIBLE**

Esta gran melodía de blues de B. B. King es muy melódica y comienza en la parte alta de la 5.ª cuerda. Es buena para practicar el movimiento entre los dedos índice y anular en un espacio de tres trastes. Es un gran riff para experimentar y adaptar tu propio estilo de interpretación. Mantenlo lento y estable. Aprende a subir y bajar con fluidez entre las cuerdas en la parte alta del mástil de la guitarra.

RIFF BÁSICO DE LA CANCIÓN

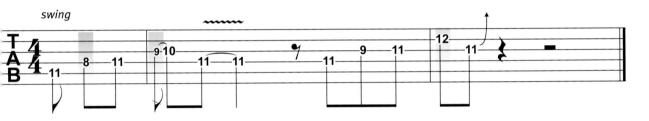

ASÍ ES COMO SE HACE

1 Mantén el dedo índice en posición sobre el 8.º traste de la 4.ª cuerda mientras dejas que el meñique toque esta nota en el 11.º traste de la 5.ª cuerda.

2 Éste es un ligado ascendente entre el 9.º y 10.º traste de la 3.ª cuerda. Aquí, utiliza el índice y el dedo medio.

3 Toca esta nota en la octava en Si con el meñique. Suena muy bien si haces un slide después de las notas en la 3.ª cuerda.

ALBERT KING

1923-1992
BANDA: **SOLISTA**
MAYOR FAMA: **DÉCADAS DE 1960 Y 1970**

Uno de los tres grandes reyes del blues, junto con B. B. y Freddie, es Albert King, uno de los guitarristas de rock y blues más influyentes desde Otis Rush y Robert Cray hasta Eric Clapton y Stevie Ray Vaughan. Sin embargo, aunque ha tenido muchos imitadores, pocos se han acercado a la réplica del extraordinario sonido propio de Albert.

En parte se debe a que él tocaba la guitarra con la mano izquierda, pero en vez de tocar una guitarra para zurdos, o cambiar las cuerdas de una guitarra para diestros, como hizo Jimi Hendrix, él simplemente tocaba la guitarra al revés, de manera que las cuerdas graves estaban abajo y no arriba.

El resultado es que él baja las mismas cuerdas que la mayoría de los guitarristas hacen subir, produciéndose así un sonido único.

Albert King nació el 25 de abril de 1923 en Indianola (Mississippi). Aprendió él solo a tocar la guitarra cuando era niño, se fabricó su propio instrumento con una caja de puros. Al principio tocaba música gospel, pero después de oír a hombres de blues del Delta como Lonnie Johnson y Blind Lemon Jefferson, cambió a la «música del diablo».

Se trasladó a San Luis a mediados de la década de 1950. Allí empezó a tocar su propia guitarra Gibson Flying V y se convirtió en una atracción local, logrando su primer éxito nacional de R&B. Su gran éxito llegó en 1967, cuando firmó con Stax Records y lanzó una serie de sencillos que se remontaban a Broker T y MGs. La combinación resultó irresistible en números como el de «Born Under a Bad Sign» y «Cross Cut Saw». El sonido fue un éxito inmediato para el público de R&B y la nueva audiencia blanca joven de rock.

De repente, a los 43 años, Albert King era una estrella, actuando para audiencias llenas en el Fillmore de San Francisco y en otros lugares. Su carrera discográfica fue disminuyendo a finales de la década de 1970, pero en su calidad de hombre de espectáculo empedernido siguió siendo atracción viva hasta su muerte en 1992.

DERECHA: *Se ha descrito a Albert King como «el maestro del ataque en una cuerda» y tenía la habilidad de crear frases de blues perfectas, claras, siguiendo el modelo de Blind Lemon Jefferson y Elmore James.*

FLYING V

A mediados de la década de 1950, el presidente de Gibson Guitars, Ted McCarty, decidió que era necesario actualizar la imagen de su empresa. El rock'n'roll había revolucionado la música popular, y personajes llamativos como Bo Didley habían empezado a tocar con sus propias guitarras hechas de encargo. McCarty, experto ingeniero, decidió responder a este reto diseñando guitarras destinadas al comercio que prescindían por completo de la antigua forma redondeada, estilo acústica, de la mayoría de las guitarras eléctricas. En 1958, Gibson reveló tres modelos nuevos radicales: Flying V, Explorer y Moderne.

La industria se conmocionó y desconcertó. La Moderne nunca entró en producción comercial, mientras que la Explorer y la Flying V (llamada así por su revolucionaria forma de V) se fabricaron en una cantidad muy limitada. Las tiendas de guitarras que las pedían las utilizaban para exponerlas como artículos novedosos y no las promocionaban demasiado como instrumentos que se podían comprar. Albert King fue uno de esos pocos valientes que se sintieron atraídos por el aspecto radical de la Flying V, pero pocos siguieron su ejemplo. Se vendieron menos de 100 guitarras Flying V, y Gibson pasó a otros modelos nuevos, arrinconando a la Flying V durante una década. Revivió en la década de 1960, cuando el clima musical se hizo más experimental, y de nuevo en la década de 1970, cuando la Flying V, de repente, se convirtió en la guitarra elegida por grupos de rock duro como Wishbone Ash y The Scorpions. La Flying V original posee ahora un considerable valor por su rareza, vendiéndose por miles de dólares. Las siguientes han tenido especificaciones bastante diferentes respecto a las originales, pero en la década de 1990, Gibson fabricó una pequeña cantidad de copias de encargo de las originales de 1958. Sin embargo, éstas tienen un precio superior a 13.000 dólares, por tanto, para los guitarristas, no resultan un modo viable de reproducir el sonido exacto de Albert King.

ABAJO: *La guitarra Flying V tuvo poco éxito comercial. Albert King fue uno de sus escasos defensores.*

Un típico solo de Albert King

Éste es el principio del tipo de solo que Albert King incorporó en muchas de sus melodías de blues. Se toca en las cuerdas 2.ª y 1.ª, y se caracteriza por cuatro notas ascendentes antes de pasar al 10.º traste de la 2.ª cuerda.

Intenta cambiar la rapidez durante el riff, auméntala cuando asciendes en la escala y luego disminúyela para tocar ese triste slide al final.

RIFF BÁSICO DE LA CANCIÓN

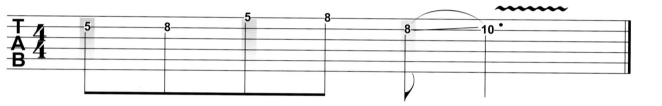

ASÍ ES COMO SE HACE

1 Utiliza el dedo índice para comenzar la cadencia en el 5.º traste de la 2.ª cuerda. Emplea el meñique para tocar la siguiente nota en el 8.º traste de la 2.ª cuerda.

2 Después lleva el índice al 5.º traste de la 1.ª cuerda, de nuevo utiliza el meñique para pisar el 8.º traste, esta vez en la 1.ª cuerda.

3 Ahora desliza el meñique desde el 8.º traste de la 2.ª cuerda hacia esa nota La en el 10.º traste de la 2.ª cuerda.

ERIC CLAPTON

1945-
BANDAS: **YARDBIRDS, JOHN MAYALL Y LOS BLUESBREAKERS, CREAM, DEREK AND THE DOMINOES**
MAYOR FAMA: DESDE LA **DÉCADA 1970 HASTA LA ACTUALIDAD**

Eric Clapton fue el primer héroe de guitarra. Antes de Clapton, al guitarrista se le veía como a otro músico más de la banda, situado detrás del cantante. Unos cuantos aficionados podrían saber quién era extraordinario, pero el público en general no tenía ni idea. Luego llegó Clapton. Su interpretación, primero con los Yardbirds y luego con John Mayall y los Bluesbreakers fue tan sorprendente, tan incendiaria, que una sorprendida audiencia empezó a pintar por Londres el eslogan «Clapton es Dios». A Clapton no le impresionó demasiado eso. No deseaba ser un héroe, era un hombre tranquilo que sólo quería seguir haciendo música.

DERECHA: *Eric Clapton, fotografiado en un concierto en Nueva York en 1988, ha hecho más que cualquier otro artista para llevar al blues a la corriente principal de la música, aunque es igualmente conocido por su talento para el rock y el pop.*

Clapton nació en Surrey, al sur de Inglaterra, en 1945. Empezó a tocar blues mientras asistía a la escuela de arte a principios de la década de 1960 y compró una guitarra Kay. Poco después se unió a los Yardbirds, luego se fue (le sustituyeron por Jeff Beck) cuando decidió que se estaban convirtiendo en un grupo demasiado comercial. Su breve estancia con John Mayall y los Bluesbreakers fue vital. En esta banda se permitió dar rienda suelta a su blues.

El período de héroe de guitarra de Clapton llegó a lo más alto con su siguiente banda, Cream, un trío de rock duro en el cual podía tocar solo tanto tiempo como quisiera. Después de dividirse la banda grabó un álbum clásico con Derek and the Dominoes, caracterizado por su obra maestra «Layla», antes de sucumbir a la adicción de la heroína durante varios años. Una vez recuperado, en el disco con el que regresó, *461 Ocean Boulevard,* se le puede ver tocando una guitarra acústica y una drobo la mayor parte del tiempo, con compás acentuado y basado en la canción. En las décadas de 1970 y 1980 su trabajo se dirigió al pop-rock comercial, antes de regresar a sus orígenes en la década de 1990 con una serie de discos de blues tradicional.

ERIC CLAPTON

LAS GUITARRAS ELÉCTRICAS DE CLAPTON

ARRIBA: *La guitarra «Blackie» de Clapton se convirtió en uno de los instrumentos de rock más caros.*

Clapton ha tenido dos grandes amores en lo que se refiere a guitarras eléctricas. Durante sus primeros años, hasta la separación de Cream, era un hombre de Gibson Les Paul. Desde entonces, y siguiendo la influencia de Jimi Hendrix, quien convenció a tantos guitarristas británicos a hacer el mismo cambio, ha sido hombre de Fender Stratocaster siempre (el más famoso es el instrumento recuperado por piezas conocido por «Blackie» que fue subastado por 450.000 dólares para su institución benéfica Crossroads).

Su instrumento propio *(signature)* era bastante más llamativo. La guitarra apareció con el nombre de 1961 Les Paul SG. Antes de la primera gira de la banda por Estados Unidos en 1967, pidió al artista holandés The Fool (responsable de otros proyectos de pop-art, en su mayoría para los Beatles) que le diera al instrumento un toque personal psicodélico de pintura. El resultado fue un impresionante instrumento que se adaptaba por completo a los tiempos. No obstante, todo cambia, y después de la separación de Cream, Clapton cambió de guitarra y dio la Fool Guitar a un cantautor llamado Jackie Lomas que estaba haciendo una grabación para Apple. Dos años más tarde, un nuevo héroe de guitarra americano, Todd Rundgren, se encontró con Lomas y se horrorizó al encontrar la Fool Guitar en unas condiciones tan lamentables. Dio 50 dólares a Lomax y restauró la guitarra hasta convertirla en la gloria que fue, y la utilizó tanto en el escenario como en el estudio hasta que la guitarra se hizo muy frágil y corría el riesgo de sufrir más daños.

BLACKIE

Durante la primera parte de su carrera, a Clapton siempre se le ha asociado con Gibson (su preferencia por las Les Paul logró que Gibson las fabricara de nuevo en 1968, ocho años después de haber dejado de hacerlas). Aunque después de Jimi Hendrix, Clapton cambió a Fender Stratocaster, y éstas han sido sus principales guitarras eléctricas desde entonces, tanto en el escenario como en el estudio. Hay una guitarra llamada «Brownie» que utilizó para tocar «Layla» y, recientemente, Clapton la ha subastado por 450.000 dólares para apoyar a su institución benéfica Crossroads que intenta rehabilitar a drogadictos. Sin embargo, la Strat más famosa de Clapton se llama «Blackie». Para hacer Blackie, Clapton utilizó tres Stratocaster diferentes, de los que cogió las mejores piezas y las ensambló para crear a Blackie. Tocó esta guitarra en el escenario y en el estudio hasta 1987, momento en el que la retiró definitivamente. No dispuesto a perder el sonido de aquel instrumento tan querido, Clapton trabajó con Fender para hacer la Eric Clapton Signature Stratocaster, una guitarra diseñada para recrear a Blackie, pero con electrónica moderna. Se ha mejorado la compresión de sonido. Al principio la guitarra sólo se encontraba disponible comercialmente en Ferrari Red, 7-Up Green y Charcoal Grey, pero en 1991 Clapton cedió y permitió que se fabricara la guitarra para el comercio en color negro también, para deleite de los seguidores de Clapton.

«Sunshine of Your Love»

DISCO: *DISRAELI GEARS* (CREAM)
LETRA: ERIC CLAPTON, JACK BRUCE, PETE BROWN
GRABACIÓN: ATLANTIC STUDIOS, NUEVA YORK
PRODUCTOR: FELIX PAPPALARDI

Este gran riff de apertura se toca en la parte alta del mástil de la guitarra en las cuerdas graves. Toca este riff con una guitarra eléctrica y gira el control del sonido para lograr ese cálido sonido de Clapton. Da golpes descendentes con la púa, mantén las notas al mismo ritmo y practica el movimiento entre las tres cuerdas graves.

RIFF BÁSICO DE LA CANCIÓN

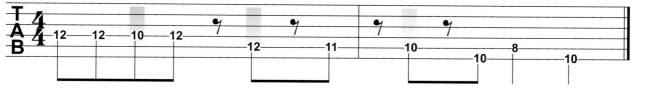

1 Aquí se muestra al dedo anular en la octava en Re en el 12.º traste, dejando los demás dedos libres para tocar notas en los trastes más bajos.

2 Aquí el anular sube a la octava en La en el 12.º traste de la 5.ª cuerda. Utiliza los dedos medio e índice en las dos notas siguientes.

3 Sube el dedo anular al 10.º traste de la 6.ª cuerda mientras el índice se prepara para pisar el 8.º traste de la 5.ª cuerda.

TODO ES CUESTIÓN DE SONIDO

Durante la década de 1960, Clapton revolucionó el sonido de la guitarra eléctrica más de una vez, al menos en Reino Unido. Comenzó con el disco que hizo con John Mayall y los Bluesbreakers. La introducción con guitarra sin acompañamiento de «All Your Love» hizo a la gente saltar de sus asientos por lo fuerte que sonaba. El sonido recordaba al de los intérpretes de blues de Chicago, como Freddie King, pero era aún más musculoso. Era un sonido que Clapton había logrado conectando su Gibson Les Paul a un amplificador Marshall, el modelo de 1962 2x l2 Marshall combo equipado con un par de válvulas de potencia KT66, en vez de las EL34s normales. Clapton tocaba el combo a plena potencia y tenía colocados micrófonos en la sala para recoger toda la fuerza de este sonido distorsionado.

La de 1960 fue una década en la que la tecnología estaba cambiando con rapidez y Clapton que grababa con la banda Cream, tuvo también que cambiar su sonido. Tocaba con una Les Paul nueva, ya que le habían robado la anterior. Resultó más relevante que ahora utilizara los clásicos amplificadores Marshall 100-Watt con los nuevos 4-12 Cabinets, que llenaban el estudio. El resultado fue un sonido más alto que nunca, pero la mejor calidad de la amplificación significaba más claridad también, ofreciendo un sonido más melódico, al que los aficionados pronto apodaron «sonido de mujer».

DERECHA: *El sonido de Clapton estaba influido por los maestros del blues que él había escuchado de niño, por ejemplo Robert Johnson y B. B. King. Esta fotografía fue tomada en 1967, en Nueva York, durante la grabación del disco* Disraeli Gears *de* Cream.

«Crossroads»

DISCO: *WHEELS OF FIRE*
LETRA: **ROBERT JOHNSON**
GRABACIÓN: **THE FILLMORE WEST, SAN FRANCISCO**
PRODUCTOR: **FELIX PAPPALARDI**

Un gran riff de blues rock que resulta divertido tocarlo. En la versión grabada por Cream se toca con bastante rapidez, pero puedes hacerlo más lento para practicar correctamente las notas. Ajusta el amplificador a un sonido distorsionado para lograr autenticidad. Utiliza el rasgueo para conseguir una buena sensación de boggie blues. Sigue repitiendo el riff hasta que te sientas cómodo y lo puedas tocar con rapidez.

RIFF BÁSICO DE LA CANCIÓN

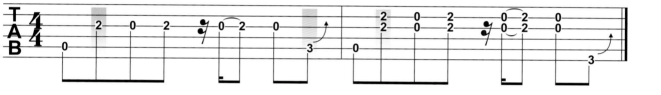

ASÍ ES COMO SE HACE

1 Después de hacer sonar la 5.ª cuerda al aire, el dedo índice pisa la 3.ª en el 2.º traste y, rápidamente, se suelta para que suene al aire, antes de volver a pisar de nuevo la misma cuerda en el 2.º traste.

2 Muestra un rápido estirado hacia abajo en la nota Do de la 5.ª cuerda. Practica este movimiento de estirado con rapidez en el riff.

3 Aquí el dedo índice cubre el 2.º traste de las cuerdas 2.ª y 1.ª. Rasguea estas notas juntas en rápida sucesión.

ERIC CLAPTON

DOBRO

Después de su adicción a la heroína, Clapton regresó con el disco *461 Ocean Boulevard* en 1974, y muchos de sus fans de siempre quedaron horrorizados. La razón era que estaba lleno de canciones, sin que apenas se oyera un solo de guitarra. La influencia principal de esta interpretación ya no era Albert o Freddie King, sino un cantautor de Oklahoma llamado J. J. Cale. Y durante la mayor parte del tiempo, Clapton tocaba con iuna Dobro!

Una guitarra Dobro era el último instrumento que se podía esperar en un héroe de guitarra. Fue inventada en la década de 1920 por los hermanos Dopyera en una época en la que los guitarristas buscaban el modo de hacer que los instrumentos sonaran más alto, para que pudieran oírse en una banda de swing. La Dobro lo consiguió incorporando un cono de aluminio resonante y cuerpo de acero. La guitarra se tocaba en horizontal y los trastes eran barras de acero *(a steel)*. El resultado es un sonido a medio camino entre la guitarra slide del blues tocada con cuello de botella y la guitarra steel pedal. En realidad, primero la aparición de la guitarra eléctrica y luego la de la steel pedal llevaron casi al fin de su existencia a la Dobro en la década de 1940. Únicamente, la devoción que sentían por ella unos cuantos músicos de country y bluesgrass la mantuvieron viva. Sin embargo, a principios de la década de 1970, guitarristas de rock como Clapton y Ry Cooder se interesaron por la música country tradicional y descubrieron el fascinante sonido único de la Dobro. La creciente popularidad del instrumento hizo que, desde 1993, Gibson fabricara Dobro, quien también producía ediciones propias aprobadas por el coleccionista Jerry Douglas.

DERECHA: *El uso de una guitarra en particular por parte de Eric Clapton ha tenido un enorme valor comercial para la empresa. Tanto Fender como C. F. Martin & Co. han honrado a Clapton con modelos suyos propios.*

«Layla»

DISCO: *LAYLA AND OTHER ASSORTED LOVE SONGS*
LETRA: **ERIC CLAPTON, JIM GORDON**
GRABACIÓN: **CRITERIA STUDIOS, MIAMI**
PRODUCTOR: **TOM DOWD**

Otro famoso riff de Eric Clapton tocado en la parte alta del mástil de la guitarra. En la versión grabada hay muchas guitarras, pero esta tablatura te permite tocar, al menos, el riff básico. Deberás practicar este riff para lograr rapidez. Escucha el disco para conseguir las frases exactas y practica las frases rápidas entre el 10.º y 13.º traste.

RIFF BÁSICO DE LA CANCIÓN

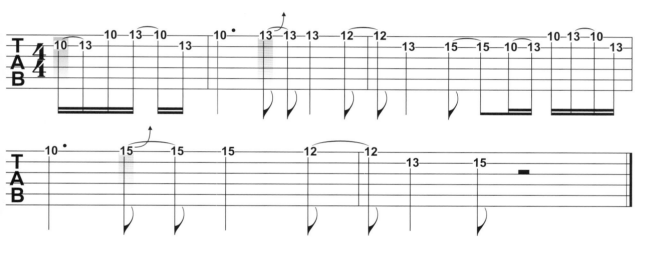

ASÍ ES COMO SE HACE

1 Aquí se muestra al dedo índice en el 10.º traste de la 2.ª cuerda. Con el dedo meñique toca este ligado ascendente con mucha rapidez hacia el 13.º traste.

2 Aquí el riff sube a la 1.ª cuerda. Toca estas notas en los trastes 10.º y 13.º con el índice y el meñique. Estira la nota más alta hacia arriba.

3 Éste es el punto más alto del riff en el traste 15.º de la 1.ª cuerda. Toca esta nota con el meñique.

STEVIE RAY VAUGHAN

1954-1990
BANDAS: **THE NIGHTCRAWLERS, DOUBLE TROUBLE**
MAYOR FAMA: **DÉCADA DE 1970**

En su corta vida el hombre tejano de blues, Stevie Ray Vaughan, hizo un estupendo trabajo. Tocó la guitarra con David Bowie antes de convertirse en el primer músico blanco que ganó el premio de W. C. Handy Blues Instrumentalist of the Year. Después de su muerte en un accidente de helicóptero, se convirtió en leyenda: un guitarrista que combinó una extraordinaria técnica con una pasión desenfrenada. En una época en la que el blues estaba saliendo de la conciencia de los fans del rock, Stevie Ray Vaughan mantuvo encendida la llama y, a su vez, inspiró a toda una generación de intérpretes.

DERECHA: *La destreza de Stevie Ray Vaughan con la guitarra eléctrica ha llevado a algunos críticos a compararle con Jimi Hendrix. Así era el nivel de su talento.*

Vaughan nació en Tejas el 3 de octubre de 1954, en el Hospital Metodista. Le inspiró a tocar la guitarra su hermano mayor Jimmie. Al dejar el colegio a los 17 años, Stevie tocó en varias bandas de rock antes de unirse a la banda de blues The Nightcrawlers. En esta época, más o menos, Stevie se compró un '63 Stratocaster de batería en Ray's Music Exchange, en Austin. La llamó «Number One» (o algunas veces «First Wife») y se convirtió en su guitarra favorita para toda la vida.

The Nightcrawlers hicieron poco, pero Stevie siguió adelante, tocando en una serie de bandas de blues de éxito local antes de formar su propia banda Double Trouble. Una cinta de la banda tocando en directo terminó en manos de Mick Jagger, quien les invitó a tocar en una fiesta para los Rolling Stones. De aquí surgió que Bowie contratara a Ray.

El contacto con Bowie mejoró el perfil de Stevie, pero lo que fue aún más agradable fue el éxito de *Texas Flood,* que fue nominado para dos premios Grammy. Siguieron una serie de discos de éxito. Por desgracia, junto al éxito llegaron los problemas con el alcohol y las drogas que le llevaron a la rehabilitación después de desmayarse en el escenario. Ya recuperado, grabó dos álbumes más antes de su trágica muerte en un accidente de helicóptero, después de haber actuado con Eric Clapton el 26 de agosto de 1990.

STRATOCASTER NUMBER ONE

La Stratocaster favorita de Stevie Ray era una que compró en Ray's Music Exchange de Austin (Tejas) en sus primeros años y a la que llamó «Number One». Esta guitarra era un modelo de batería de 1963 con un mástil de 1962. Stevie Ray decía con frecuencia en entrevistas que sabía muy bien que había algo especial en ella. «Ni siquiera tuve que tocarla, únicamente supe por su aspecto que sonaría muy bien. Me estaba llevando otra Strat y me pregunté si a Ray le gustaría cambiarla. Gracias a Dios lo hizo.»

En un principio la Number One tenía un golpeador blanco y una palanca de trémolo para la mano derecha. Stevie sustituyó el golpeador blanco por uno negro y le añadió las letras «SRV». En 1977 añadió una palanca de trémolo dorada para la mano izquierda (de zurdo para dar la sensación de guitarra al revés al estilo de Jimi Hendrix). Finalmente Stevie sustituyó los trastes por unos Dunlop 6100 estilo bajo. Estos enormes trastes daban a Stevie Ray el «sustain» que necesitaba y le ayudaba a emplear la técnica de estirado de cuerdas. También resultaban útiles porque él utilizaba siempre cuerdas de tamaños más gruesos, que variaban desde .013 a .018.

Estas cuerdas resultaban muy duras para los dedos, pero si Stevie exigía mucho a sus manos, exigía aún más a las cuerdas de su guitarra. Number One sufrió mucho mientras estuvo con Stevie. En el escenario, Stevie Ray la golpeaba, la aporreaba, la sacudía y la sujetaba por la palanca del trémolo. Algunas veces incluso la chocaba contra la pared, la cogía y seguía tocando. Finalmente, la guitarra tuvo que ser retirada en 1989. Se extendió el rumor de que había sido enterrada con Stevie, pero en realidad ahora pertenece a su hermano Jimmie.

DERECHA: *La infame guitarra «Number One» de Stevie Ray. Fue muy criticada pero produjo el soberbio sonido Stevie Ray.*

«Pride and Joy»

DISCO: *TEXAS FLOOD*
LETRA: **STEVIE RAY VAUGHAN**
GRABACIÓN: **DOWN TOWN STUDIO, LOS ÁNGELES; RIVERSIDE SOUND, TEJAS**
PRODUCTORES: **DOUBLE TROUBLE, JOHN HAMMOND, SR.**

Para este riff de Stevie Ray Vaughan deberás bajar la afinación un semitono para conseguir el sonido igual que el de la versión grabada. Es una gran introducción de blues con la que puedes probar, adaptar y experimentar. Si haces un slide desde el traste 3.º hasta el 5.º en la 2.ª cuerda sonará vibrante. Es un riff soberbio para practicar deslizamientos y estirados, y también suena bien tanto si se toca lento como rápido.

RIFF BÁSICO DE LA CANCIÓN

swing

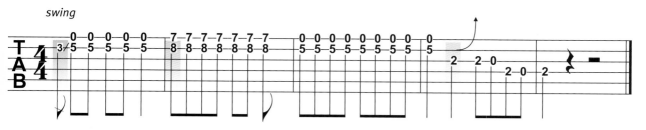

ASÍ ES COMO SE HACE

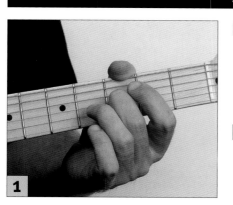

1 Aquí se muestra el slide desde el traste 3.º hasta el 5.º en la 2.ª cuerda. Asegúrate de tocar la 6.ª al aire y deja que las notas vibren.

2 La fotografía muestra al dedo índice en el 7.º traste de la 1.ª cuerda y al dedo medio en el 8.º traste de la 2.ª cuerda.

3 El dedo medio estira en la nota La en el 2.º traste de la 3.ª cuerda. El dedo medio también puede tocar las notas siguientes en la 4.ª cuerda.

IBANEZ TUBE SCREAMER

Un Ibanez Tube Screamer es un pedal de distorsión/overdrive que enriquece y ensucia el sonido de la guitarra, haciéndolo ideal para la interpretación de blues. Su efecto no es tan extremo como el de otros: permite salir al auténtico sonido de la guitarra. La mayoría de los intérpretes utiliza el aparato junto a un amplificador de válvulas para darle más potencia. El primer Ibanez Tube Screamer que se fabricó fue el TS-808 «overdrive pro» verde a finales de la década de 1970, que siguió a otros pedales de distorsión normales de la misma empresa.

Stevie Ray Vaughan utilizó durante su carrera los dos, el antiguo Ibanez Tube Screamer TS-808 y los posteriores TS-9 stomp boxes. El TS-808 se distinguía del TS-9 por sus pequeños botones negros, un botón de stomp más pequeño, una inscripción blanca en la caja y un color verde más oscuro.

Stevie utilizaba el Tube Screamer como principal aparato de distorsión. Lo empleaba para añadir distorsión en sus amplificadores de válvulas, y también para añadir una saturación natural y «sustain» a sus solos. Creía que se adaptaba especialmente al sonido de la Stratocaster, pero ajustaría su colocación dependiendo del amplificador que estuviera utilizando. Cuando empleaba amplificadores Fender más pequeños que producían una distorsión natural, utilizaba el TS limpio al nivel más alto para que el amplificador produjera más distorsión. Cuando tocaba con grandes amplificadores limpios, subía más la unidad (drive) con el fin de obtener la distorsión a partir del Tube Screamer.

Hoy en día, el Ibanez Tube Screamer se ha convertido en un pedal muy codiciado y alcanza precios elevados, gracias, en gran parte, a su asociación con Vaughan.

IZQUIERDA: *Stevie Ray Vaughan siente inclinación por los solos. Su empleo del Ibanez Tube Screamer generó el perfecto sonido de blues «sucio».*

«Scuttle Buttin'»

DISCO: *COULDN'T STAND THE WEATHER*
LETRA: **STEVIE RAY VAUGHAN**
GRABACIÓN: **THE POWER STATION, NUEVA YORK**
PRODUCTOR: **STEVIE RAY VAUGHAN**

Esta tablatura muestra los tres acordes utilizados al comienzo de «Scuttle Buttin' ». Es bastante difícil dominar la parte del solo, pero se puede disfrutar tocando estos acordes de blues rápidos. Puedes experimentar también con estos acordes y utilizarlos en otras melodías basadas en el blues, por tanto, intenta incorporarlos a tu repertorio. Practica el cambio entre estos acordes hasta que haya fluidez, luego, cuando te sientas preparado, intenta utilizarlos con otros músicos.

ACORDES BÁSICOS DE LA CANCIÓN

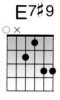
E7♯9

A7

Bm7

(E: Mi, A: La, B: Si)

ASÍ ES COMO SE HACE

1 El dedo índice pisa la 3.ª cuerda, el anular pisa la 4.ª cuerda y el meñique pisa en el 3.ª traste las cuerdas 2.ª y 1.ª.

2 Aquí el dedo medio pisa la 4.ª cuerda, el anular pisa la 2.ª cuerda y el meñique toca la nota Sol en la 1.ª cuerda.

3 Comienza con el dedo índice en la 5.ª cuerda, el medio en la 3.ª, el anular en la 1.ª y el meñique en la 2.ª.

GUITARRISTAS DE JAZZ

El jazz es un campo de la música popular en la que la guitarra es menos poderosa. Si preguntas a un oyente cuál es el instrumento clave del rock'n'roll, te dirá que es la guitarra eléctrica. Pregunta cuál es el instrumento clave del jazz y, muy probablemente, te dirá que es el saxofón. Sin embargo, la guitarra es un instrumento versátil y está luchando por su protagonismo. Inicialmente en el jazz, si se utilizaba, era únicamente para proporcionar un acompañamiento rítmico básico, mientras que hoy en día, en manos de músicos como Pat Metheny o Bill Frisell, es un instrumento muy respetado. Así que, haz la pregunta dentro de 50 años y, a lo mejor, obtienes una respuesta diferente.

La ausencia de la guitarra en los comienzos del jazz tiene una fácil explicación. El jazz tiene sus raíces en las bandas de marcha de Nueva Orleáns, que produjo figuras básicas como el legendario Buddy Bolden y el inmortal Louis Amstrong, y en las que dominaba los instrumentos de metal. Así, los primeros combos de jazz se caracterizaban por las trompetas, que eran los instrumentos altos, más el bajo y los tambores. Una única guitarra acústica sin amplificador apenas podía hacer oírse sobre esa línea de instrumentos. Los banjos, que tienen un sonido un poco más vibrante, se utilizaban alguna vez, pero resultaba difícil todavía que lo captaran los aparatos primitivos de grabación. Hasta que no apareció el micrófono en la década de 1920, la guitarra acústica (hasta entonces asociada a la música clásica y folk) no se abrió paso en el jazz.

El hombre responsable de esta introducción fue Eddie Lang, un americano de origen italiano, cuyo verdadero nombre era Salvatore Massaro (y que se ocultaba bajo el nombre de «Blind Willie Dunn» cuando grababa discos de blues, en un caso extraño de músico blanco que hubiera deseado ser negro y no al revés). Con una sola mano demostró que la guitarra podía utilizarse en jazz, no sólo como un instrumento rítmico (como se había usado el banjo en el pasado) sino, gracias al micrófono, como un instrumento en solitario también. Lang tocó los primeros solos de guitarra en un disco y trabajó con todos los grandes nombres del primer jazz: Louis Amstrong, Kid Oliver, Joe Venuti, Bix Beiderdecke y otros. En 1932 se unió al vocalista Bing Crosby, el primero que comprendió en este campo las implicaciones técnicas que le suponían a un cantante grabar con micrófono. Por desgracia, un año después de su unión, en 1933, Lang murió después de una amigdalitis.

LOS GIGANTES DE LA GUITARRA JAZZ

Un año después surgió el gran virtuoso de la guitarra jazz y, para asombro general, no era americano sino un gitano francés llamado Django Reinhardt. Sus grabaciones de 1934 con el Hot Club of France fueron reveladoras. Django incluyó influencias de la música folk gitana y clásica de Europa y sugirió nuevas posibilidades no sólo para la guitarra jazz, sino para el jazz en general. A pesar de que sólo podía utilizar dos dedos en una mano, Django era un virtuoso prodigioso y también un destacado compositor cuyo «Nuages» continúa siendo primordial para cualquier aspirante a guitarrista de jazz.

Sin embargo, no todos los guitarristas de jazz llamaron tanto la atención como Lang y Reinhardt. Freddie Green, por ejemplo, permaneció con Count Basie durante casi 50 años y durante todo ese tiempo él era feliz siendo el apoyo de la banda. Apodado Mr. Rhythm, Freddie Green cumplía su misión con valentía. Donde otros guitarristas llegaban a los solos en una sola cuerda y luego a las nuevas guitarras eléctricas, Freddie Green se dedicó a la inapreciable, y a veces inadvertida, tarea de mantener el ritmo de un modo tan regular y orgánico como el latido de un corazón. Hay muchos competidores para ocupar el lugar de mejor solista de jazz de todos los tiempos, pero sólo hay uno para el título de mejor intérprete de ritmo.

LA REVOLUCIÓN ELÉCTRICA

Si Freddie Green es uno de los grandes héroes de la guitarra jazz que no han sido alabados, el siguiente gran innovador es uno de los grandes posibles. Como Eddie Lang antes que él, Charlie Christian revolucionó la guitarra jazz. Su gran innovación estuvo de nuevo ligada a la tecnología. En este caso esa innovación era la llegada de la guitarra eléctrica.

Christian no era el primer hombre de jazz que utilizaba la electricidad; otro hombre de jazz, Eddie Dirham, ya lo había hecho tocando primero con Jimmie Lunceford y después con Freddie Green en la Count Basie

IZQUIERDA: *Charlie Christian, uno de los guitarristas de jazz más influyentes. La guitarra no se encuentra en el origen de la música jazz, pero cada vez es más imprescindible.*

Band, que fue donde Christian encontró por primera vez su interpretación. Después de oír tocar a Dirham, Christian se fue a comprar una guitarra eléctrica y, dos años después, estaba tocando con Benny Goodman, escribiendo casi un nuevo vocabulario para tocar un instrumento con una mano sola. Con la potencia de la guitarra eléctrica era capaz de hacer sonar a la guitarra como una trompeta. De hecho muchas de las innovaciones que Charlie Parker introduciría en el saxofón, se habían anticipado, al menos en parte, en el trabajo de Christian con Goodman. Por desgracia, después de sólo tres años de artista, Charlie Christian contrajo la tuberculosis y murió en 1942. Sus escasas obras grabadas son un tesoro descubierto de la guitarra jazz que figuran al lado de las grabaciones de blues de Robert Johnson.

MOVIENDO FRONTERAS

Otros guitarristas siguieron inmediatamente las innovaciones de Christian. Otro intérprete clave de las décadas de 1940 y 1950 fue George Barnes, cuya grabación de 1946 «Lover Come Back to Me», en la que la guitarra era el único instrumento solo, apoyado por el bajo, batería y guitarra rítmica, movió realmente las fronteras y anticipó el trabajo del siguiente gran pionero en este campo, Tal Farlow.

Farlow trabajaba de pintor cuando escuchó a Charlie Christian en la radio y decidió enseguida comprar una guitarra. Aprendió a tocar todos los solos de Christian escuchando discos de Benny Goodman. Posteriormente se trasladó a Nueva York y tocó con Buddy deFranco, Artie Shaw y Red Norvo, antes de realizar una serie de grabaciones con su propio nombre durante la década de 1950 que le establecieron como uno de los mayores guitarristas de jazz de todos los tiempos. Entre sus innovaciones se encontraba un deseo de utilizar toda una gama de solos para tocarlos con la guitarra y un cariño especial por los acordes cromáticos, unidas las dos cosas a una extraordinaria velocidad, una técnica poco ortodoxa y, por supuesto, una continua fidelidad al principio central del jazz de que no importa si no se consigue ese swing.

El otro gran nombre de la guitarra jazz de la década de 1950 fue Barney Kessel de Muskogee (Oklahoma). Otro discípulo de Charlie Christian, se dirigió a la costa contraria de Farlow, a Los Ángeles, donde trabajó en el espectáculo en directo de los Hermanos Marx y grabó con Charlie Ventura, Roy Eldridge y Artie Shaw. Desde mediados de la década de 1950 se concentró en la grabación más que en las giras y, aunque era discípulo reconocido de Christian, su carrera podía haber sido muy diferente. La interpretación de Christian sobrevive, únicamente, en algunos discos y fue, al menos al principio, influencia principal para los guitarristas amigos. Barney Kessel, por el contrario, tocó en miles de discos, literalmente y, probablemente, es más responsable que ningún otro de introducir la noción de guitarra jazz en la conciencia popular. De

hecho, es posible que sea uno de los músicos que más ha grabado en la historia de la música.

Sin embargo, no todos los guitarristas de jazz siguieron el solo eléctrico de Christian. Charlie Byrd, un guitarrista de jazz que había estudiado con el legendario guitarrista clásico Andrés Segovia a mediados de la década de 1950, empezó a tocar la guitarra de concierto (acústica) en forma de jazz. En los primeros éxitos de Byrd se escuchaban influencias clásicas en su interpretación, pero el disco que le llevó a ser una estrella internacional tenía una influencia más exótica, la samba brasileña. En 1962 Charlie Byrd había viajado a Sudamérica y cuando regresó a Estados Unidos grabó el clásico *Jazz Samba* con Stan Getz, que se convirtió en un gran éxito entre el público general.

Aunque fue popular, el movimiento jazz samba fue algo pasajero. El siguiente gran innovador de la guitarra jazz fue otro discípulo de Christian, Wes Montgomery. Después de un período de aprendizaje que pasó como intérprete de ritmo a la guitarra con la banda Lionel Hampton, formó The Wes Montgomery Trio y grabó varios discos clásicos entre 1959 y 1963. El don especial de Wes era la improvisación melódica. Podía hacer que el jazz más estereotipado sonara de un modo fresco. Lo que llamaba la atención del oyente casual, sin embargo, era la calidez de su

ARRIBA: *El virtuoso guitarrista de jazz, Django Reinhardt, fotografiado aquí con Duke Ellington y su banda en 1939.*

sonido, logrado utilizando el pulgar en vez de la púa, como casi todos sus predecesores.

Tan popular era su sonido cálido que desde 1963 sus discos se orientaron más hacia ese mercado de masas, llenos de melodías orquestadas y pop contemporáneo. Estas grabaciones fueron más importantes por su éxito comercial que por sus cualidades musicales, y no les gustaba a los puristas de la guitarra jazz. Sin embargo, dieron fama a Wes Montgomery y ayudó a elevar a la guitarra a un nivel completamente nuevo en la música popular americana. Wes Montgomery murió de repente, de un ataque al corazón, en 1968. Dejó tras él un legado que incluía el cambio de lugar de la guitarra en la cultura popular. Para el guitarrista de jazz que se concentre en su trabajo más antiguo con el trío, dejó un legado musical insuperable. También ejerció una enorme influencia en sus contemporáneos, entre ellos los grandes hombres de jazz melódicos como Grant Green y Jimmy Raney.

ABAJO: *Pat Metheny es un guitarrista de jazz moderno, un músico con un estilo accesible que no tiene miedo de experimentar.*

Por la época en la que murió Wes Montgomery, en 1969, la guitarra eléctrica había sido muy aclamada por el rock'n'roll, y para los guitarristas de jazz que vinieron después de Wes la influencia de Jimi Hendrix ha sido, con frecuencia, tan poderosa como la de Charlie Christian .

INFLUENCIAS DEL ROCK

La primera gran figura del jazz influida por la música rock fue Miles Davis. Desde finales de la década de 1960, sus bandas casi siempre habían tenido guitarristas solistas apasionados, desde John MacLaughlin, que tocó con él *Bitches Brew,* hasta Mike Stern y John Scofield, que le acompañaron en sus últimos años.

Bitches Brew anunció una era de jazz rock, que fue testigo del paso de los intérpretes por los dos lados de la división musical. Guitarristas de rock como Frank Zappa y Allan Holdsworth de Soft Machine se vieron cada vez más influenciados por el jazz, mientras que intérpretes de la escuela de jazz, desde Larry Coryell a Sonny Sharrock se descubrieron incluyendo una dinámica de rock en su compleja interpretación técnica. Lo peor del jazz rock es que la técnica se situaría por encima de la creatividad (como si los guitarristas lucharan por ver quién podía tocar más notas en el menor tiempo posible). Lo mejor, sin embargo, si vuelves a los discos de Miles Davis, como *Bitches Brew*, mencionado anteriormente y a *In a Silent Way,* abrieron un camino de nuevas posibilidades para los guitarristas de jazz, permitiéndoles salir de la fórmula demasiado exacta de los éxitos de Wes Montgomery y de otros.

Por supuesto no significa que muriera la tradición de Wes Montgomery simplemente. En vez de ello, se desarrolló hacia lo que llegó a conocerse como jazz funk (básicamente música de baile melódica con una sensación de jazz). Intérpretes destacados en este área fueron Earl Klugh, Robben Ford (otro alumno de Miles Davis), Eric Gale y sobre todo George Benson. Benson era un excelente guitarrista subestimado que seguía el molde de Montgomery, y un cantante lleno de sentimiento, que conmocionó en aquel momento con la venta multimillonaria de *Breezin'* y ya no dio marcha atrás.

Totalmente contrario al sonido suave de Benson, se encuentran esos guitarristas que intentan empujar al jazz a límites sónicos. Entre ellos están James Blood, al lado de Ornette Coleman, y el sutil experimentador Hill Frisell.

Sin duda el guitarrista más popular del jazz actual es Pat Metheny, un músico que se inspira en el jazz, en la música clásica y en el rock, pero los ha fusionado en un sonido que sólo se puede clasificar como guitarra jazz de Pat Metheny.

CHARLIE CHRISTIAN

1916-1942
BANDA: **MÚSICO DE SESIÓN**
MAYOR FAMA: **DÉCADA DE 1930**

Charlie Christian fue el padre fundador y primer arquitecto del estilo moderno de guitarra jazz. Fue el primer solista importante de guitarra eléctrica. Antes de Christian, los guitarristas eran predominantemente músicos de acústica sin amplificaciones que se encontraban relegados a reglas estrictas de guitarra rítmica dentro de un conjunto. Con Christian, la guitarra eléctrica se convirtió en una peculiar voz solista, equivalente a la del saxofón, trompeta o clarinete, capaz de conseguir los mismos niveles de expresividad e intensidad. Después de la aparición inicial y breve carrera de Christian, surgió una escuela de discípulos, no sólo de intérpretes de blues como Barney Kessel y Tal Farlow, sino también de guitarristas de blues y rock, desde T-Bone Walker hasta Scotty Moore, todos ellos extendieron su influencia por todo el mundo.

DERECHA: *Charlie Christian fue un pionero en el campo de la guitarra jazz eléctrica en el blues, y su influencia llegó a Hendrix y a Clapton.*

Charles Henry Christian nació en Bonham (Tejas) el 29 de julio de 1916. El joven Charles recibió clases de guitarra de su padre y se tomó en serio el instrumento en 1933, año en el que junto a su amigo T-Bone Walker, recibió lecciones de Ralph «Big-Foot Chuck» Hamilton. Más tarde, en 1937, Christian se compró su primera guitarra eléctrica, probablemente una Gibson ES 150.

Su peculiar sonido pronto le convirtió en estrella regional, y en julio de 1939, el productor de jazz John Hammond tuvo una audición con Benny Goodman. Christian fue contratado y trasladado a la ciudad de Nueva York.

La interpretación de Charlie Christian de melodías como la de «Air Mail Special», «Honeysuckle Rose» y «Solo Flight» pronto le hicieron uno de los más grandes de la era swing. Por 1940 estaba ampliando fronteras, mezclándose con los nuevos músicos bebop, como Dizzy Gillespie y Thelonious Monk. Por desgracia, siempre había tenido problemas

respiratorios, y el 2 de marzo de 1941 moría de tuberculosis. En un período de menos de tres años, Charlie Christian había surgido de una completa oscuridad para producir una generosa cantidad de material que alteró para siempre el curso de la interpretación de jazz con una guitarra.

EL SONIDO DE LA GUITARRA DE CHARLIE CHRISTIAN

Charlie Christian es el hombre responsable de lo que hoy todos conocemos como sonido de guitarra jazz clásico. Christian prefería las guitarras Gibson con la parte superior arqueada, de cuerpo hueco, generalmente, con agujeros en forma de f, equipadas con pastillas electromagnéticas en su interior. El segundo elemento importante era la amplificación. Utilizaba amplificadores Gibson EH (hawaianos eléctricos), EH 150 Y EH 185. Manejando este equipo y combinándolo con una pastilla en la posición del mástil, un cuerpo hueco resonante y amplificadores relativamente pequeños y no muy potentes, Christian logró un sonido pesado, pero limpio, que se adecuaba muy bien a las frases de una nota de sus impecables solos.

LAS GIBSON DE CHARLIE CHRISTIAN

La guitarra favorita de Charlie Christian era la Gibson ES 150. Gibson anunció la producción de la primera guitarra española eléctrica, la ES 150 de mediados de 1936, como «otro milagro de Gibson... un auténtico sonido sin distorsión amplificado por la electricidad».

Uno de los primeros que prefirió esta guitarra fue el guitarrista de Count Basie, Eddie Durham, quien convenció a Charlie Christian para que probara una. Lo demás, por supuesto, es historia y no pasó mucho tiempo antes de que se conociera a la ES 150 como «modelo Charlie Christian». Se sabe que Christian tocó al menos tres ES 150 diferentes durante su breve carrera. La ES 150 era una acústica sin cortes, con la parte superior arqueada, y costados y parte posterior de arce. Tenía el mástil de caoba, el diapasón de palo de rosa y el puente de ébano. Además, estaba equipada con una única pastilla de barra, también conocida como «pastilla Charlie Christian», que se ajustaba a la altura y podía ladearse ligeramente. La pastilla se encontraba muy cerca del diapasón, lo cual daba a la guitarra un tono profundo de bajo. Christian ajustaba la pastilla acercándola más al cuerpo, alejada de las cuerdas. Daba como resultado una calidad de sonido más cálido, más suave, con menos potencia.

Christian tocó también la guitarra Gibson ES 250. Presentada a finales de 1939, era básicamente un tipo L-7 con un cuerpo 43 cm mayor y de gran calidad, incrustaciones en el diapasón y una pastilla Charlie Christian modificada con una lámina de corte más profundo para equilibrar mejor la respuesta de la cuerda. Se piensa que Christian tocó al menos cuatro de estos modelos entre 1939 y 1942.

IZQUIERDA: *Las guitarras Gibson de Charlie Christian proporcionaban una claridad de sonido esencial para la técnica tan básica que había en las primeras grabaciones.*

«I Found a New Baby»

DISCO: *THE GENIUS OF THE ELECTRIC GUITAR*
LETRA: **SPENCER WILLIAMS, JACK PALMER**
GRABACIÓN: **COLOMBIA STUDIOS, NUEVA YORK**
PRODUCTOR: **DATO NO DISPONIBLE**

Todos los grandes intérpretes de jazz pueden pasar de un acorde complejo a otro con facilidad y tocar solos de notas rápidas y escalas. Puedes utilizar este pasaje para practicar esta técnica. El movimiento entre las notas debe ser y sonar suave. Mantener una «postura de acorde» significa que puedes tocar notas individuales con mayor rapidez. Practica el movimiento entre esas posturas. Intenta hacer fluir al patrón y que suene suave, de ese modo tus dedos empezarán a moverse con naturalidad en los trastes.

RIFF BÁSICO DE LA CANCIÓN

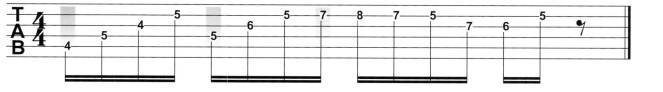

<table>
<tr><td>ASÍ ES COMO SE HACE</td></tr>
</table>

1 Utiliza el dedo índice en la 5.ª cuerda y el medio en la 3.ª cuerda. Emplea el anular y el meñique en las cuerdas 4.ª y 2.ª.

2 Traslada los dedos un traste más arriba para poner esta postura y practícala utilizando los dedos índice, medio y anular. Practica el movimiento entre estas posturas.

3 Pasa de la postura del acorde a la sección del solo, utilizando el meñique en el 7.º traste de la 2.ª cuerda en esta parte.

DJANGO REINHARDT

1910-1953
BANDA: **QUINTET OF THE HOT CLUB OF FRANCE**
MAYOR FAMA: **DÉCADA DE 1930**

Si la palabra «genio» significa algo, quizás debería referirse a esos talentos que resultan imposibles clasificar. Una persona así era el guitarrista gitano Django Reinhardt. Él no era un músico entrenado en sentido ordinario. Nunca aprendió a leer ni a escribir (ni palabras ni música). Sin embargo, su técnica instrumental era tan poco ortodoxa y su música tan brillante que asombró a los guitarristas de todo el mundo. Casi todos los grandes guitarristas de jazz de la segunda mitad del siglo XX han reconocido que están en deuda con él. Algunos, como Joe Pass y Herb Ellis, han realizado grabaciones en tributo a él.

DERECHA: *Django Reinhardt era, en realidad, uno de los muchos guitarristas de jazz gitanos que hicieron que su presencia se sintiera en Europa en la década de 1930, pero llegó a la fama por tocar con otros intérpretes, como Stephane Grapelli.*

Jean Baptiste «Django» Reinhardt nació el 23 de enero de 1910 en Liverchies (Bélgica), pero creció en un campamento gitano a las afueras de París. Primero estudió violín, luego siguió con la guitarra banjo. Cuando tenía 13 años era lo suficientemente bueno como para tocar en salas de baile parisinas, y en 1922 empezó su carrera profesional. Sin embargo, en 1928, fue víctima de un incendio en una caravana y resultaron dañados los dos primeros dedos de la mano izquierda. A pesar de ello, Reinhardt logró desarrollar una revolucionaria técnica de dos dedos.

Por 1930 Reinhardt de nuevo estaba tocando en público en París y se sentía influido por músicos de jazz americanos como Louis Amstrong, Duke Ellington y el guitarrista Eddie Lang. En 1934 conoció al violinista Stephane Grapelli, con el que formó el Quintet of the Hot Club of France. El grupo logró un éxito internacional en un año y grabaron más de 200 discos, entre ellos composiciones originales clásicas como «Djangology», «Minor Swing» y el éxito internacional «Nuages» antes de que la Segunda Guerra Mundial detuviera su carrera. Después de la guerra, Reinhardt hizo giras por Estados Unidos con Ellington en 1946, donde tocó una guitarra con amplificador por primera vez, pero los críticos

rechazaron su trabajo. Reinhardt regresó a Europa, muy desilusionado con Estados Unidos. De regreso a Francia cambió su interés musical hacia el bebop y continuó tocando la guitarra eléctrica. Murió de una hemorragia cerebral a los 43 años, el 16 de mayo de 1953, en Fontainebleu (Francia).

LOS DEDOS DE DJANGO

En la mañana del 2 de noviembre de 1928, Django fue víctima de un incendio en la caravana en la que vivía. Fue llevado al hospital donde se encontraron, entre otras terribles heridas, que los dos dedos medios de la mano izquierda se habían soldado. Después de seis meses de tratamiento continuo, reconstruyeron la mano quemada con la forma de dos dedos, pero estaban paralizados y resultaban inútiles. No obstante, un médico sugirió a sus familiares que le trajeran una guitarra.

Después de superar el terrible dolor, Django trabajó con ahínco con la mano izquierda y, finalmente, logró crear una nueva técnica de acordes para compensar la pérdida de los dedos. Utilizaba, de un modo limitado, el tercer y cuarto dedo dañado sobre las dos primeras cuerdas y, durante la mayor parte del tiempo, utilizaba el primer y segundo dedo de la mano izquierda para los solos. Aunque, más innovador fue el modo en el que podía tocar sus pasajes en octava sobre dos cuerdas, con una cuerda «ensordecida» entre medias. Por ejemplo, sobre la primera y la tercera, segunda y cuarta, tercera y quinta, etc. De ese modo evitaba subir y bajar con rapidez por el diapasón. Mientras tanto, sus cadencias cromáticas, si las tocaba en la primera posición, las pulsaba; o si las tocaba más arriba en el diapasón, las deslizaba con un dedo.

Inevitablemente, Reinhardt buscó posturas inusuales de acordes utilizando sus dedos dañados. También hizo un extraordinario uso de su mano derecha buena. Si tienes la suerte de ver un metraje de archivo de Django, sólo observa y sorpréndete: es un guitarrista cuyo estilo podría llevar toda una vida emular.

IZQUIERDA: *La mano herida de Reinhardt llevó a su interpretación a una progresión de acordes únicos y distintivas melodías.*

«Nuages»

DISCO: **VARIAS RECOPILACIONES**
LETRA: **DJANGO REINHARDT, JACQUES LARUE**
GRABACIÓN: **VARIAS GRABACIONES**
PRODUCTOR: **DATO NO DISPONIBLE**

Es una magnífica melodía tocada por el maestro de la guitarra jazz. Aunque es posible no ser capaz de lograr algunos de las cadencias más deslumbrantes de Django, la tablatura que se muestra aquí ofrece el tema básico de «Nuages» que deberías ser capaz de dominar con un poco de práctica. Para ejercitar los dedos, practica una sucesión de notas rápidas ascendentes y descendentes sobre la 2.ª cuerda, como se muestra aquí. Acostúmbrate a moverte con facilidad entre los solos de las notas rápidas y los acordes.

RIFF BÁSICO DE LA CANCIÓN

swing

ASÍ ES COMO SE HACE

1 Comenzando con el dedo meñique en el 8.º traste de la 2.ª cuerda, comienza con la sucesión de notas rápidas descendentes utilizando los dedos anular, medio e índice.

2 Pasa de la sucesión de notas rápidas descendentes de la 2.ª cuerda a este acorde, utilizando los cuatro dedos. Practica la cadencia, luego forma el acorde.

3 Pisa la 2.ª cuerda con el índice. El dedo medio pisa la 3.ª cuerda y el anular y el meñique pisan las cuerdas 5.ª y 4.ª.

PAT METHENY

1954-
BANDA: **PAT METHENY GROUP**
MAYOR FAMA: **DÉCADAS DE 1980 Y 1990**

Pat Metheny es el guitarrista de jazz que más ha influido en los tiempos modernos. Su estilo mira hacia atrás y hacia delante al mismo tiempo. Por un lado sigue la tradición del jazz, con un estilo extraordinariamente suelto y fluido. Por otro lado, ha estado a favor de la nueva tecnología constantemente, hasta convertirse en uno de los grandes pioneros en la utilización de sintetizadores de guitarra a partir de 1980.

Pat Metheny nació en el seno de una familia musical en Kansas City, el 12 de agosto de 1954. Empezó a tocar la trompeta a los 8 años y la cambió por la guitarra a los 12 años. A los 15 estaba trabajando de un modo regular con los mejores músicos de jazz de Kansas City. Entró en la escena internacional del jazz en 1974, tocando con el gran vibráfono Gary Burton, antes de lanzar su primer disco, *Bright Size Life*, en 1975. Con el paso de los años, ha actuado con artistas tan diversos como Steve Reich, Ornette Coleman, Joni Mitchell y David Bowie.

Ha formado parte del equipo con Lyle Mays durante más de 20 años. Su obra incluye composiciones de solos para guitarra y para pequeñas orquestas de cámara y grandes orquestas.

Metheny fue uno de los primeros músicos de jazz que trató al sintetizador como a un instrumento musical serio.

También fue instrumental en el desarrollo de varias clases nuevas de guitarra, como la guitarra acústica soprano, la guitarra Pikasso de 42 cuerdas, la guitarra de jazz PM-100 de Ibanez y varios instrumentos más hechos por encargo.

Ha ganado 15 premios Grammy, de los cuales, siete de ellos los recibió por siete discos consecutivos. Su extraordinaria popularidad de artista de jazz se ha cimentado por sus incesantes giras. Metheny se ha pasado la mayor parte de su vida en giras, con una media de 120 a 240 actuaciones al año desde 1974.

DERECHA: *Pat Metheny es un artista que realiza muchas giras. No tiene una única identidad musical. Cambia de estilo según la demanda de la audiencia y el género musical.*

ROLAND GR300

Los sintetizadores aparecieron en la escena de la música a finales de la década de 1960 y principios de la de 1970. Estos primeros modelos utilizaban invariablemente teclados de control, y, al principio, se necesitaba a una persona en ese teclado para manejarlos.

Pronto los fabricantes de sintetizadores empezaron a trabajar en un diseño de sintetizador que pudiera ponerse en funcionamiento en una guitarra y no en un teclado. Entre los primeros modelos se encontraban el Arp Avatar y el Korg X911, pero la mayor parte de estas unidades se agrietaban. Algunas no permitían el estirado de cuerdas y otras no funcionaban si mantenías una nota durante demasiado tiempo, o en algunos casos si no la mantenías lo suficiente. Esto obligaba al guitarrista a tocar muy despacio. Había que olvidarse de deslizamientos, armónicos e, incluso, de una interpretación poco enérgica pero alegre: si no podías tocar cada nota de un modo claro y directo, era mejor apagar la unidad.

Entonces llegó el Roland GR300. Era el primer sintetizador de guitarra que daba una respuesta rápida y precisa, que permitía que un guitarrista tocara como un guitarrista y no tener que concentrarse simplemente en poner en funcionamiento el módulo de un modo limpio. Ofrecía toda una gama de opciones de procesos y la unidad de suelo que lo acompañaba podía afinarse para tocar dúos armónicos y notas tónicas. Pat Metheny fue uno de los primeros que lo adoptó. «Simplemente cogí el GR300 y no podía creerlo, funcionaba». Dijo en una ocasión a la revista *Guitar Player:* «Pude tocar todos los tipos extraños de fraseo que tengo y él lo traducía».

Es de destacar que después de dos décadas de innovaciones técnicas, Metheny todavía toque el GR300, y siga siendo uno de los mejores sintetizadores de guitarra que se han fabricado.

ABAJO: *En las colaboraciones de estudio de Pat Metheny ha trabajado con otros grandes intérpretes de jazz como Charlie Haden, Dave Holland, Roy Haynes y Ornette Coleman.*

«Travels»

DISCO: *TRAVELS*
LETRA: **PAT METHENY, LYLE MAYS**
GRABACIÓN: **GRABADO EN DIRECTO EN DALLAS, TEJAS**
PRODUCTORES: **PAT METHENY, MANFRED EICHER**

Es una encantadora melodía de Pat Metheny para el disco Travels. Las notas individuales se deberían puntear con un sonido claro. Escucha el tema de la pieza unas cuantas veces para memorizar la melodía, la cual se presenta sobre dos cuerdas, por tanto, practica el movimiento entre ambas. Si tocas escuchando la grabación, intenta improvisar unas cuantas notas tuyas para el tema.

RIFF BÁSICO DE LA CANCIÓN

ASÍ ES COMO SE HACE

1 El dedo meñique pisará el 6.º traste de la 2.ª cuerda. Practica para conseguir que el fraseo se corresponda con el punteo.

2 Aquí el dedo índice toca la nota La en la 3.ª cuerda. Experimenta fraseos y notas tuyas cuando toques este maravilloso tema.

ARRIBA: *El estilo de guitarra de Pat Metheny, en el Pat Metheny Group, es difícil de situar. Aunque se reconoce la categoría de jazz, también hay incursiones en el terreno del funk y pop.*

«Phase Dance»

DISCO: *PAT METHENY GROUP*
LETRA: **PAT METHENY, LYLE MAYS**
GRABACIÓN: **TALENT STUDIOS, OSLO**
PRODUCTOR: **MANFRED EICHER**

La tablatura de este riff exige una interacción suave entre las tres cuerdas superiores (1.ª, 2.ª y 3.ª). Al tocar dos notas juntas en las cuerdas 2.ª y 3.ª se da a la melodía una encantadora cualidad vibrante. Puedes dejar que el dedo índice haga el trabajo cubriendo todas las notas en el 5.ª traste de las tres cuerdas. Practica la técnica del punteo, cambiando entre dos notas en las cuerdas 2.ª y 3.ª y las notas sencillas en la 1.ª cuerda.

RIFF BÁSICO DE LA CANCIÓN

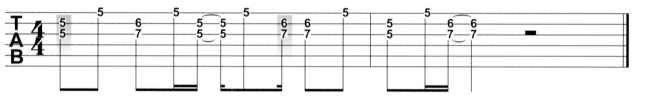

ASÍ ES COMO SE HACE

1 Observa el modo en el que el dedo índice cubre las tres cuerdas en el 5.º traste. Acostúmbrate a moverte entre notas dobles y sencillas.

2 Utiliza el dedo medio y el anular para estas notas de las cuerdas 2.ª y 3.ª. Queda libre el dedo índice para cubrir las notas sencillas en la 1.ª cuerda.

Todo el riff se basa en este patrón. Aprende a tocarlo con fluidez, aumentando la velocidad a medida que te vayas sintiendo más cómodo y seguro.

GUITARRISTAS DE COUNTRY

En su forma más antigua, la música country es, básicamente, la música popular rural de América. En términos generales, la trajeron los colonos desde Europa, especialmente, de las Islas Británicas. No hay un momento mágico de comienzo. Muchos piensan que fue la Familia Carter, que grabó en la década de 1920 lo que parece ser una mezcla de «country» y «folk».

Si hablamos en general, se podría decir que la transición de los cantantes rurales que entretenían a su comunidad con interpretaciones de canciones folk evolucionaron a artistas profesionales country. Allá por la década de 1930, el éxito de algunos, como el de la Familia Carter, logró situar firmemente a la música country en el panorama musical.

Del mismo modo que es difícil señalar el origen preciso de la música country, lo es también el momento en el que la guitarra se convirtió en un instrumento importante para ella. La guitarra había llegado a América con los primeros colonos europeos y, poco a poco, fueron llegando a América los fabricantes europeos para empezar a producir allí. Sin embargo, eran todavía instrumentos raros, hasta que llegó la Revolución Industrial en la década de 1800, y con ella la tecnología para producir instrumentos musicales en serie, entre ellos la guitarra. No obstante, incluso entonces se consideraba todavía a la guitarra más apropiada para la música clásica, ya que no tenía el volumen suficiente para competir con los violines y banjos, populares en las bandas de cuerda del folk de aquellos días. La aparición de las guitarras de cuerdas de acero que sonaban con más volumen cambió aquello un poco, pero hasta que los intérpretes de blues sureños no adoptaron la guitarra, no comenzó realmente a popularizarse el instrumento.

Poco a poco los músicos blancos empezaron a probar los nuevos instrumentos y, a principios de la década de 1900, unas cuantas bandas de cuerda rurales compuestas de hombres blancos presentaron las guitarras. Un intérprete de la típica música country fue uno de los primeros, Sam McGee, que después tocaba en la banda de la Grand Ole Olry. Aprendió a puntear con la guitarra por los trabajadores negros del ferrocarril, quienes tocaban a la hora de comer cerca de su casa de Tennessee.

Igual que los músicos de folk y bandas de cuerda empezaron a desarrollar los rudimentos de lo que ahora reconoceríamos como música country, así se extendió la popularidad de la guitarra, ayudada en gran parte por el hecho de que se producían modelos baratos y éstos aparecían en los catálogos de la nueva venta por correo. La primera estrella importante de música country fue Jimmie Rodgers, «el guardafrenos cantante». Tocaba la guitarra y le dio un gran impulso a la popularidad del instrumento. Jimmie Rodgers ayudó a vender muchas guitarras a finales de la década de 1920 y principios de la de 1930 por el uso que hacía él del instrumento.

Poco a poco fueron surgiendo los primeros estilistas de música country. Primero apareció Maybelle Carter de The Carter Family. Ella desarrolló su famoso estilo de guitarra de «caída de pulgar», como aparece en su solo de «Wildwood Flower», siendo la inspiración de generaciones de punteadores de country. Luego llegó Karl Farr de The Sons of the Pioneers. Su interpretación con guitarra acústica empezó a mostrar una clara influencia de jazz, procedente de intérpretes del estilo de Django Reinhardt. Pronto guitarristas de country, como Porky Freeman de California, comenzaron a mostrar ciertos niveles de virtuosidad, que sólo se había visto en el terreno del jazz (como ilustró el éxito grabado de Freeman «Boggie Woogie on the Strings» o «Zeb's Mountain Boggie» de Zeb Turner).

PIONEROS DEL PUNTEO

Quizás el estilo definitivo de música country con guitarra es el del punteo con los dedos, y especialmente el estilo sincopado de punteo con el pulgar e índice del oeste de Kentucky del que fue pionero Kennedy Jones. El mismo Jones utilizaba el pulgar para puntear, pero su estilo formó la base para el punteo de Ike Everly y Mose Pager, quienes a su vez enseñaron ese estilo al hombre que lo llevaría a una audiencia mucho mayor, el gran Merle Travis.

Travis nació en Rosewood (Kentucky), el 29 de noviembre de 1917. Quedó fascinado por la interpretación de Everly y Rager y se creyó en la obligación de poner de manifiesto lo que realizaran en ese campo. Más tarde formó un grupo llamado Drifting Pioneers, quienes, en 1939, se unieron a la plantilla de música de WLW Radio 50.000 Watt de Cincinnati. Su talento de guitarrista solista era obvio y empezó a tocar regularmente en la estación, ayudando a extender el evangelio del punteo con los dedos.

Uno de los oyentes de WLW era un jovencito de 16 años llamado Chet Atkins. La interpretación de Travis le inspiró al momento. En marzo de 1944, Travis se trasladó a Los Ángeles, donde rápidamente encontró trabajo de miembro de orquesta en las bandas de swing occidental de Porky

IZQUIERDA: *Scotty Moore era el sonido de guitarra que había detrás de Elvis Presley, su talento quedó inmortalizado en discos como el de «That's All Right» y «Jailhouse Rock».*

Freeman y Ray Whitley. En 1945 grabó su primer disco con su propio nombre. Al año siguiente, su discípulo Chet Atkins hizo su propio debut con una grabación de *Guitar Blues,* un blues de la noche, grabado con guitarra eléctrica.

En 1946, la fama de Travis era tal que había empezado a realizar trabajos de sesión para Capital Records. La principal firma independiente de la Costa Oeste. En marzo, Travis firmó con Capitol un contrato de solista. Pronto la guitarra empezó a ocupar más espacio en sus discos, lo que influyó muchísimo. A finales de la década de 1940, Travis era el guitarrista de country más importante de la nación. Mientras tanto, la popularidad de Chet Atkins no había hecho nada más que empezar después de firmar con RCA Victor en 1947.

ACONTECIMIENTOS DE LA POSGUERRA

Varios guitarristas excelentes se manifestaron después de Travis, entre ellos el cantante tejano y líder de banda, Hank Thompson, quien tuvo una serie de éxitos en las décadas de 1940 y 1950. Se convirtió en un excelente punteador con los dedos, siguiendo el ejemplo de Merle Travis hasta el punto de tener una Gibson hecha de encargo para él, una Super 400 eléctrica.

A partir de 1950, Chet Atkins había empezado a salir de la sombra de Travis. Ocupó el lugar de solista en el Opry, como guitarrista de Red Foley sobre 1946, y después fue miembro de orquesta hasta que Steve Sholes le contrató para RCA en 1947. Sin embargo, cada vez era más evidente que la dirección de Chet se orientaba más hacia lo instrumental y RCA empezó a sacar sus partes instrumentales que, rápidamente, se hicieron populares.

Él grababa en calidad de instrumentalista y, no hay duda, de que es más conocido como guitarrista que Merle Travis. Mientras que Travis se concentraba en su carrera de cantante, cantautor y guitarrista, Chet se dedicaba casi exclusivamente a la parte instrumental. Aunque Merle estaba grabando vocales para Capitol, Chet estaba logrando numerosos éxitos instrumentales y consiguiendo una gran reputación por su trabajo en directo. Chet también desarrolló un estilo que se diferenciaba significativamente del estilo de Travis, ya que empezó a incorporar influencias de instrumentalistas que no eran de country, como es el caso de Les Paul y Django Reinhardt.

Muchos otros guitarristas empezaron a sentir la influencia de Atkins, no sólo en Estados Unidos, sino también en Reino Unido, donde ejerció una gran influencia en George Harrison e incluso en Ritchie Blackmore. Muchos de ellos desconocían qué era lo que les llegaba de Merle Travis. Un guitarrista americano que aprendió tanto de Chet como de Merle fue Scotty Moore. Cuando en el verano de 1954, Scotty empezó a trabajar con Elvis Presley en la Sun Session, y Presley grabó su versión de «That's All

Right», el acompañamiento de Moore está influenciado por Travis y el estilo de Atkins.

Otros de los primeros estilistas de rock muy influenciado por el estilo de Atkins y Travis fueron Eddie Cochran, Duane Eddy y, sobre todo, Jerry Reed, quien hizo que los estilos de Atkins y Travis dieran un gran salto hacia delante. Reed empezó de roquero, grabando para Capitol, pero en la década de 1960 estaba en un estudio musical de Nashville con su propio estilo country de puntear con los dedos. Donde Travis utilizaba el pulgar y el índice casi exclusivamente, y Atkins empleaba el pulgar y, al menos, otros dos dedos, Reed los utilizaba todos.

Chet Atkins y sus seguidores están asociados, por supuesto, a la guitarra eléctrica, generalmente las Gretsch de cuerpo grande. Sin embargo, los estilistas acústicos, que solían trabajar con el incipiente bluegrass, estaban realizando sus propias innovaciones.

ARRIBA: *Chet Atkins –Mr. Guitar–*
fue pionero de lo que hoy se conoce
como sonido Nashville y ayudó a
que se extendiera la música popular
country.

Lester Flatt creó un estilo de guitarra dinámico lleno de cadencias de bajo mientras tocaba al principio con Blue Grass Boys de Bill Monroe y luego con Earl Scruggs. Otros excelentes guitarristas de bluegrass son George Shuffler de The Stanley Brothers, quien punteaba el instrumento, y el guitarrista Doc Watson a quien se le ocurrió la idea de puntear con los dedos melodías de violín.

Sin embargo, en la corriente principal de la música country, era la guitarra eléctrica la que llevaba la voz cantante en la década de 1960. Las innovaciones de Scotty Moore fueron desarrolladas por James Burton que tocaba con una Telecaster, y que trabajó sucesivamente con Ricky Nelson, Elvis Presley y Emmylou Harris. La estrella country de Bakersfield, Buck Owens era otro excelente estilista de guitarra eléctrica, como lo era su intérprete de solos regular Don Rich, y el legendario guitarrista de Merle Haggard, de Bakersfield, Roy Nichols. Glen Campbell era otro artista muy conocido como cantante, pero en realidad era también un formidable guitarrista, que tocó en una enorme cantidad de éxitos del pop y del country en la década de 1960, incluso trabajó con Phil Spector.

En la década de 1970 el country cambió cuando el movimiento de proscritos se opuso a la suavidad «countrypolitana» del sonido Nashville. Los proscritos: Waylon Jennings, Willie Nelson y otros, querían dar a la música ciertos toques de rock'n'roll y, por supuesto, eso significaba subir el volumen de las guitarras. La agresiva Telecaster de Waylon Jennings se puso al frente, al igual que la del héroe de guitarra británico Albert Lee, cuando fue propuesto para asumir el papel de James Burton en la Emmylou Harris's Hot Band. La guitarra Telecaster siguió siendo la más elegida para el country hasta bien entrada la década de 1980, gracias a guitarristas como Pete Anderson de Dwight Yoakam y al As de sesión Jerry Donohue. Al pasar de década, figuras como el internacional Garth Brooks, con su intérprete de solos de guitarra James Garver, estaban dirigiendo el estilo country y la guitarra country hacia la corriente principal de la música.

Durante la década de 1990, quizás como reacción al nuevo country popular, renació en cierto modo el country acústico, inspirándose considerablemente en la peculiar aproximación al jazz de Willie Nelson por un lado, y a la ráfaga de intérpretes técnicos de bluegrass como Tony Rice y Ricky Skaggs por el otro. Hoy en día, la música country se encuentra en un punto que mira al mismo tiempo hacia delante y hacia atrás, con guitarristas que estudian el modo de acercarse a Merle Travis y a Maybelle Carter, y después imaginan el modo de pasar a la siguiente etapa.

GUITARRAS PROPIAS

Parece ser que Jimmie Rodgers ha sido el primer cantante de country que tuvo un modelo de guitarra con su nombre. Weymman creó para él su modelo «Jimmie Rodgers Special» en 1930. Así comenzó esa tendencia. A medida que la música country empezaba a dar estrellas, los fabricantes utilizaban su éxito para vender más guitarras. En 1932, a un cantante de WLS National Barn Dance, «Arkie the Arkansas Woodchopper», le fabricaron una de esas grandes guitarras Martin tipo «dreadnought» D-2 con un adorno de madera en espiga. Se convirtió en la clásica Martin D-28. Al año siguiente la estrella de Barn Dance, amigo suyo, Gene Autry, tenía una Martin con incrustaciones de perla que se convirtió en la D-45. Y aunque estos eran instrumentos de gama alta, había también mercado para instrumentos baratos que llevaban la aprobación de una estrella. De ese modo Sears Roebuck empezó a comercializar sus guitarras económicas «Gene Autry» en la década de 1930, y fueron las primeras guitarras que poseyeron muchas futuras estrellas jóvenes de la guitarra. Se ha continuado con esta práctica desde entonces y, hoy en día, Martin Guitars fabrica modelos propios aprobados por toda una gama de estrellas del country, desde Johnny Cash a Willie Nelson, así como modelos históricos que son réplicas de guitarras que utilizaban Hank Williams e incluso Gene Autry.

PUNTEO CON LOS DEDOS

El estilo básico de punteo con los dedos (conocido como estilo «choke») consiste en puntear la melodía con el dedo índice de la mano derecha mientras el pulgar, que normalmente lleva una púa, puntea un acompañamiento bajo alternativo constante. El resultado es un sonido variado, rico, independiente. Da la impresión de que se están tocando simultáneamente solo y ritmo con la guitarra. Los intérpretes de talento han introducido sus propias variaciones individuales al estilo básico para crear un sonido personal. Merle Travis, por ejemplo, también rozaba las cuerdas 4.ª, 3.ª y 2.ª con el pulgar en el golpe ascendente mientras enmudecía las cuerdas con la mano derecha para crear un acompañamiento de percusión. A veces, Travis añadía aún más variedad interponiendo una melodía en una cuerda.

Los primeros estilos de punteo con los dedos evolucionaron con lentitud, pasándose de guitarrista a guitarrista en las regiones de los Apalaches. Uno de los primeros guitarristas influyentes de esta zona fue un hombre negro de blues natural de Louisville (Kentucky) llamado Sylvester Weaver, supuestamente el primer guitarrista de blues que grabó. Su grabación de 1924 «Smoketown Strut» muestra los elementos básicos de lo que hemos llegado a pensar, desde entonces, que es el country punteado con los dedos. Su estilo intrincado le etiquetó como «el hombre de la guitarra que habla». La misma etiqueta se le pondría a Merle Travis unos años después.

Otro guitarrista negro, Arnold Schultz, puede que haya producido un impacto aún mayor en el desarrollo del estilo de punteo con los dedos de Kentucky. Aunque la segregación era la norma entonces, el oeste de Kentucky parecía muy abierto, sorprendentemente, a la integración musical. Schultz era un favorito de los rincones de baile blancos cuando conoció e influyó, entre otros, a un joven Bill Monroe. Kennedy Jones fue otro guitarrista influenciado por Arnold Schultz. Él, a su vez, influyó en Mose Rager y en su amigo de siempre Ike Everly (padre de Don y Phil), dos antiguos mineros que empezaron a tocar juntos a principios de la década de 1930, e influyeron en muchos guitarristas en ciernes, entre ellos al gran Merle Travis.

MAYBELLE CARTER

1909-1978
BANDA: **THE CARTER FAMILY**
MAYOR FAMA: **DÉCADAS DE 1930 Y 1940**

«Si no hubiera sido por Mamá Maybelle, Jimi Hendrix sólo hubiera tocado el banjo», dijo el escritor de música Hazel Smith. Puede que resulte un poco exagerado, pero no hay duda de que Maybelle Carter es una de las pioneras absolutas de la guitarra moderna. Todo guitarrista de country y folk debe algo a Maybelle Carter y la mayoría considera que es mucho. La mayor parte de los guitarristas de rock y de blues también le deben algo, pero casi ninguno de ellos es consciente de ello.

Maybelle Carter, que tocaba con la familia Carter, introdujo de primera mano la guitarra en la música country como instrumento solista. Ella eligió un instrumento que únicamente se utilizaba de acompañamiento rítmico y con acordes básicos, e inventó su propia técnica de tocar una melodía en las cuerdas graves acompañada de acordes en las cuerdas agudas, llevándola al frente de la música popular, una posición que no había ocupado hasta entonces.

Maybelle Addington nació en Nickelsville (Virginia), en 1909. Creció en el seno de una familia rural, que vivía en la montaña y pasaba mucho tiempo tocando música por razones sociales. A los 12 años se la conocía por ser una excelente instrumentalista. Con el paso del tiempo, formó su primer grupo, The Carter Family, junto a su prima Sara y su marido A. P. Carter, que finalmente llamaron la atención de Victor Talking Machine Company.

Las grabaciones de la familia Carter fueron un éxito inmediato y Maybelle gastó su primer cheque en una Gibson L-5 Archtop, el mejor modelo disponible de Gibson en esa época, y que costaba la astronómica cantidad de 250 dólares. Provista de su nueva guitarra, Maybelle ayudó a los Carter a grabar un repertorio de canciones country y folk que se convirtieron en el pilar de la música folk americana. Entre las canciones se encontraban «Little Darling Pal of Mine», «Keep on the Sunny Side», «Wildwood Flower» y «Will the Circle Be Unbroken?»

DERECHA: *Maybelle Carter (en el centro) con The Carter Family. Equipada con una guitarra Gibson, Carter ayudó a establecer la base del country y del bluegrass moderno.*

Después de que The Carter Family se disolviera como grupo, Maybelle formó un banda con sus hijas Helen, Anita y June, que revivieron la música original de la familia Carter a finales de la década de 1960. Mamá Maybelle, como se conoce en todo el mundo, murió en 1978.

GIBSON L-5

Cuando Maybelle Carter compró su Gibson L-5 Archtop en 1929, costaba, en proporción, más que un coche nuevo en la actualidad. Sin embargo, fue una excelente inversión en sonido, ya que utilizó la Gibson L-5 en casi todas las grabaciones y apariciones en directo durante los diez años siguientes. Durante las giras de The Carter Family en la década de 1950, Elvis Presley tomaba prestada con frecuencia la Gibson de Carter cuando se le rompía una cuerda a su propia guitarra.

La Gibson tiene un cuerpo ancho (40,6 cm), clavijas estrechas de cabeza de serpiente, mástil de arce y diapasón de ébano con ribetes y puntos de color blanco. En un principio estaba equipada de clavijas de banjo, pero Maybelle consiguió una guitarra propia, al cabo de los años, en la que había sustituido afinadores, golpeador y cola.

Después de la muerte de Maybelle, la guitarra quedó al cuidado de la familia. Fue prestada al Pasillo de la Fama de Música Country en 1998, pero fue reclamada en 2004 y puesta a la venta. Anunciada como la guitarra más importante de la historia de la música popular, la puso en el mercado Gruhn Guitars de Nashville por la extraordinaria cantidad de 575.000 dólares. El destino incierto de la guitarra ocupó titulares e hizo que un filántropo local diera el paso final de donar 1.000.000 dólares al Pasillo de la Fama con el fin de mantener la guitarra expuesta al público.

IZQUIERDA: *La Gibson L-5 Archtop de Maybelle Carter se ha convertido casi en un icono dentro de la comunidad de la música country.*

«Wildwood Flower»

DISCO: *WILDWOOD PICKIN'*
LETRA: A. P. CARTER
GRABACIÓN: RCA VICTOR STUDIOS, CAMDEN (NUEVA JERSEY)
PRODUCTOR: JEFF ZARAYA

Esta introducción suena mejor con una guitarra acústica. Se toca en las cuerdas graves, las cuales establecen el ritmo antes de que entren los acordes. Aunque en la misma clave de la versión grabada la melodía se toca en las cuerdas altas, también así sonará bien.

RIFF BÁSICO DE LA CANCIÓN

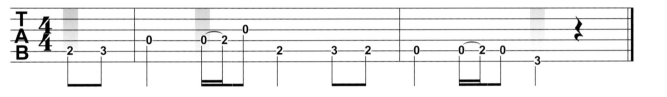

ASÍ ES COMO SE HACE

1 Utiliza el dedo medio y el anular para moverte desde la nota Si en la 5.ª cuerda a la nota Do. Haz que estas notas de la introducción sean sólidas y fuertes.

2 Éste es un ligado ascendente tocado con el dedo medio en la 4.ª cuerda. Asegúrate de que tocas con la 3.ª cuerda al aire después del ligado ascendente.

3 Para la nota final de la introducción, el dedo anular toca la nota Sol en el traste 3.º de la 6.ª cuerda. Repite hasta que te sientas cómodo.

CHET ATKINS

1924-2001
BANDA: **SOLISTA**
MAYOR FAMA: **DÉCADAS DE 1950 Y 1960**

De un modo poco normal para un virtuoso instrumental, Chet Atkins era también un productor muy influyente. En realidad, resulta acertado decir que sin la habilidad para la producción y visión musical de Chet Atkins, la música country nunca hubiera entrado en las listas del pop en las décadas de 1950 y 1960. Durante esos años, ayudó a crear el sonido Nashville, un estilo de música country que debía casi tanto al pop como a los pubs. Al mismo tiempo era un guitarrista sensacional, un músico que combinaba la complejidad y técnica del jazz con la sensibilidad del country-pop. Resumiendo, era un guitarrista tan elegante como popular.

DERECHA: *Chet Atkins se ganó la etiqueta de «Mister Guitar» por su excepcional talento para la melodía country. Es uno de los artistas instrumentales que más ha grabado en la historia.*

Nació el 20 de junio de 1924 en Lutrell (Tennessee). No empezó su carrera musical tocando la guitarra. De hecho, por recomendación de su hermano mayor, Lowell, empezó a tocar el violín. Sin embargo, Chet pronto se sintió atraído por la guitarra y cuando tenía nueve años utilizaba una pistola a modo de guitarra. Atkins aprendió a tocar el instrumento rápidamente, inspirándose en Merle Travis, y ya era un intérprete consumado cuando salió del instituto en 1941.

Después de pasar años tocando en directo como músico de apoyo, sus proezas llegaron a Nashville, donde el jefe de RCA, Steve Sholes, convirtió a Atkins en guitarrista de estudio para todas las sesiones de estudio Nashville de RCA en 1949. Al año siguiente, Mamá Maybelle y las hermanas Carter le contrataron en la Grand Ole Opry. Mientras trabajaba en RCA, tocó en muchas grabaciones de éxito y ayudó a ponerse de moda al sonido Nashville. En 1953 empezaron a lanzar varios discos instrumentales que mostraban el notable talento de Atkins. No sólo hizo que sus discos se vendieran bien, sino que diseñó guitarras para Gibson y Gretsch. La popularidad de estos modelos ha continuado hasta hoy. La carrera de Atkins siguió prosperando. Fue nombrado jefe de la

división Nashville de RCA, mientras iba disminu-yendo la popularidad de sus propias grabaciones en la década de 1970. Su fama revivió de nuevo en la década de 1990 después de dos discos grabados con Jerry Reed y Mark Knopfler. Durante su carre-ra recibió 11 premios Grammy y nueve honores de Instrumentalista del Año CMA. Murió de cáncer en 2001.

LA COUNTRY GENTLEMAN DE CHET ATKINS

Dado que él no era músico solamente, sino que también era un ejecutivo de Music Row, no debe sorprender que Chet Atkins fuera uno de los primeros guitarristas que tuviera su propio modelo en producción. La guitarra en cuestión era la Gretsch Country Gentleman de 1958. Muchos la consideran una de las tres guitarras Gretsch más gloriosas de la década de 1950, junto a la 6120 y a la White Falcon. Las otras dos pueden resultar más llamativas, pero la Country Gentleman, como sugiere su nombre, posee una elegancia (y alguno podría decir posibilidad de interpretación) de la que carecen las otras dos. El hecho es que George Harrison tocaba, a menudo, una de ellas.

Gentleman salió a la venta en 1958, después de la insistencia de Atkins, y se situó entre la 6120 y la Falcon en lo que a precio se refiere. Originariamente tenía un cuerpo recortado de 43 cm con agujeros en forma de f en la tapa de arce con acabado de caoba. El cuerpo cerrado fue una concesión que se hizo a

Atkins, porque incitaba constantemente a Gretsch para que fabricara una guitarra semihueca con un bloque macizo en el centro, como la Gibson's ES 335, con el fin de conseguir más sustain y menos feedback. No obstante, algunas de las primeras Gentleman de la década de 1960 también aparecen con agujeros reales en forma de f.

Gretsch siguió fabricando las guitarras, con algunas modificaciones, hasta 1978, momento en el que Atkins se pasó a Gibson, llevándose al nombre con él. Gretsch cambió de nombre a la guitarra, sería Country Squire y seguiría en producción, aunque ahora Gibson fabrica una guitarra bastante diferente a la que llevaba el nombre de Country Gentleman. La Gentleman de Atkins ha salido recientemente al mercado por el razonable precio de 50.000 dólares.

IZQUIERDA: *La guitarra Gretsch Country Gentleman fue el instrumento de formación de Atkins hasta que se pasó a la Gibson en 1978.*

«Mr. Bojangles»

DISCO: *ALMOST ALONE*
LETRA: JERRY JEFF WALKER
GRABACIÓN: CA WORKSHOP, CREATIVE RECORDING, NASHVILLE
PRODUCTOR: CHET ATKINS

La mejor manera de tocar esta maravillosa melodía es formar un acorde en Do. Esto permitirá puntear las notas con fluidez. La melodía se basa en los acordes Do, La menor y Sol 7.ª (C, Am y G7). No apoyes los dedos en las cuerdas que no se van a tocar. Mantén las notas limpias y separadas. Utiliza golpes ascendentes y descendentes con la púa, así aumentará la velocidad.

RIFF BÁSICO DE LA CANCIÓN

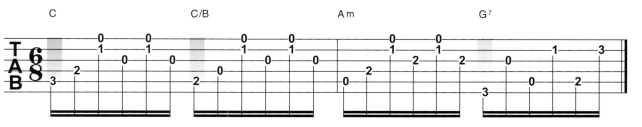

ASÍ ES COMO SE HACE

1 Éste es el acorde en Do sin utilizar la 6.ª cuerda. Puntea las notas que se muestran en la tablatura de esta postura.

2 Deja que el dedo medio suba desde el 2.º traste de la 4.ª cuerda para tocar la nota Si en el 2.º traste de la 5.ª cuerda.

3 Para el tercer acorde (La menor), utiliza el dedo medio en el 2.º traste de la 4.ª cuerda, el anular en el 2.º traste de la 3.ª cuerda y el índice en el traste 1.º de la 2.ª cuerda.

SCOTTY MOORE

1931-
BANDA: **ELVIS PRESLEY, MÚSICO DE SESIÓN**
MAYOR FAMA: **DÉCADAS DE 1950 Y 1960**

Scotty Moore es uno de los grandes pioneros de la guitarra. Como guitarrista original de Elvis, estuvo en el centro de la fusión del country y del R&B que se iba a conocer con el nombre de rockabilly. Sus golpes memorables, fuertes, y su agudo sentido para percibir cuándo tenía que tocar con fuerza y cuándo quedarse atrás para complementar la voz de Elvis, funcionaban a la perfección. También, aunque se asocia a Moore con el primer material de Elvis (especialmente las grabaciones rompedoras realizadas en Sun Studios), él, en realidad, continuó tocando en los discos hasta finales de la década de 1960. Su mejor trabajo aparece en antiguos clásicos RCA. Como «Hound Dog» y «Jailhouse Rock».

DERECHA: *Scotty Moore fotografiado con el rey del rock' n' roll, Elvis Presley. Muchos críticos piensan que su grabación de «That's All Right» con Elvis Presley en 1954 inauguró la era del rock y del pop.*

Winfield Scott Moore III nació el 27 de diciembre de 1931 en una granja cerca de Gadsden (Tennessee). Empezó a tocar la guitarra a los ocho años, aprendiendo de su familia y amigos. Se alistó en la Marina estadounidense en 1948 y prestó servicio en Corea y China. Ya licenciado en enero de 1952, Moore se trasladó a Memphis.

Formó una banda de country y grabó un sencillo para Sun Records en la primavera de 1954. Poco después la banda conoció, a Elvis Presley, y el 5 de julio de 1954 el grupo grabó «That's All Right», el primer gran disco rockabilly.

Al principio, Moore y Black eran prácticamente iguales a Presley, y Moore también se convirtió en el primer manager de Elvis. Sin embargo, pronto se vio claro quién era la estrella, pero Scotty siguió siendo el guitarrista favorito de Elvis, con un sonido integral. El trabajo de Moore con Elvis terminó a finales de la década de 1960, aunque hizo una aparición con el Rey en el escenario en un especial de televisión de 1968. Después de una larga ausencia, Moore volvió al escenario en la década de 1990, actuando con Carl Perkins y en espectáculos dedicados a Elvis.

LA GUITARRA QUE CAMBIÓ AL MUNDO

La Gibson L-5 ha sido uno de los grandes éxitos de la historia de la guitarra. Fabricada desde los primeros años de prohibición, todavía se encuentra en producción (aunque en una versión más actualizada) después de más de 80 años. Por el camino ha ayudado a revolucionar al folk y al country (gracias a Maybelle Carter), al jazz (cortesía de Wes Montgomery) y al rock'n'roll (pionero Scotty Moore).

Fabricada por primera vez en 1922, la Gibson L5 es la precursora de la guitarra arqueada moderna. Era la primera que tenía agujeros en forma de f, lo cual le hacía sobresalir en las bandas dominadas por la trompeta de esa época. Su sonido fuerte, lleno, cálido fue un éxito inmediato y abrumante. Cuando se introdujo la electricidad, Gibson empezó a fabricar versiones eléctricas (o semiacústicas). Scotty Moore cambió su guitarra previa, una Gibson ES 295, por una de ellas el 7 de julio de 1955 en el legendario almacén de música de Memphis, el O. K. Houck Piano Co.

¿Por qué la cambió? Scotty dijo que fue simplemente «porque la artesanía es mejor en la L5, y, por supuesto, cuesta más». Se utilizó por primera vez para grabar «Mystery Train» y apareció en la mayoría de las siguientes grabaciones RCA hasta enero de 1957. Es decir, que se utilizó para crear los clásicos originales y absolutos del rock'n'roll. Moore tocó en directo con ella también, empleando un amplificador Echosonic hecho de encargo que pidió a Ruy Butts, y que adquirió en abril de 1955. Éste le brindó la posibilidad de actuar en directo con su propio sonido de eco retrasado.

IZQUIERDA: *Scotty Moore era el guitarrista ideal para Presley. Su filosofía de «mantener la sencillez», que él expresaba abiertamente, significaba que su guitarra no competía con el cantante, sino que le proporcionaba la fuerza dinámica de ritmo y melodía.*

«Mystery Train»

DISCO: **VARIAS RECOPILACIONES**
LETRA: **HERMAN PARKER JR., SAM C. PHILLIPS**
GRABACIÓN: **SUN STUDIO, MEMPHIS**
PRODUCTOR: **SAM C. PHILLIPS**

Este riff emplea las cuerdas graves para crear un encantador sonido rock country dinámico. El riff comienza con un ligado ascendente y se basa en los acordes Mi y La. El modo en el que Scotty Moore toca esta melodía y la sección del ritmo hace que parezca el sonido de un tren en realidad. Intenta lograr ese ritmo con el movimiento entre los acordes. Practica el punteo de las notas graves antes de tocar los acordes. Emplea esta técnica en otras introducciones.

RIFF BÁSICO DE LA CANCIÓN

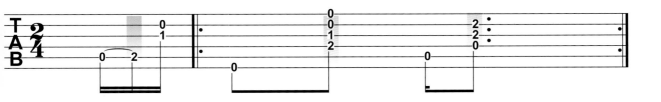

ASÍ ES COMO SE HACE

1 El dedo medio se utiliza para el ligado ascendente de la introducción. Éste permite que se prepare el dedo índice para tocar la nota La bemol en la 3.ª cuerda.

2 Para esta sección toca las cuerdas agudas que forman el acorde. El índice y el medio están manteniendo las notas en las cuerdas 3.ª y 4.ª.

3 El verdadero ritmo surge aquí. Usa el dedo índice para cubrir todas las notas hasta el 2.º traste.

AMPLIFICADOR ECHOSONIC

La clave del sonido revolucionario de la guitarra de Scotty Moore fue el empleo del eco. Y ese eco se encontraba en un extraordinario amplificador, el Echosonic. Scotty lo oyó por primera vez en una interpretación de Chet Atkins. «No recuerdo el nombre del disco», declaraba años más tarde, «pero oí uno de los instrumentales de Chet en la radio. Su guitarra tenía ese mismo sonido de palmada, pero algo diferente a lo que estaba acostumbrado a oír de Sam Phillips. Yo decía: ¡Maldita sea! ¿Cómo lo hace?».

Después de investigar un poco, Scotty localizó al hombre que hizo el amplificador, un acordeonista y mago de la electrónica llamado Ray Butts, y compró uno. Era el tercero que se había fabricado. El amplificador de 25 W se caracterizaba por un sistema de cinta de retraso en su interior que le proporcionaba a Scotty su sonido de eco de palmada *(slapback)*. Además de poder utilizar el eco en el estudio, podía usarlo en directo también. Tiene su propia leyenda. Durante las primeras actuaciones con Elvis, era frecuente que el sistema de amplificación que suministraban fuera poco adecuado y, por ello,

algunas veces, el mismo Elvis conectaba su micro al Echosonic también.

La primera grabación en la que Moore utilizó su nueva adquisición fue en «Mystery Train», en julio de 1955. A partir de entonces lo empleó en las grabaciones y actuaciones posteriores durante toda su carrera con Elvis, hasta su última aparición juntos en el especial NBC-TV de 1968. Moore lo utilizó de nuevo cuando volvió a actuar, pero lo ha retirado por miedo a que sufra daños en el transporte.

Sólo se han producido 68 Echosonic, todos hechos a mano. Además de Scotty y de Chet Atkins, otros propietarios fueron Carl Perkins y Roy Orbison. Scotty todavía tiene el suyo.

IZQUIERDA: *Scotty Moore en el escenario con Elvis durante un programa de televisión de la década de 1950. Moore trabajó con Elvis hasta finales de la década de 1960.*

«Heartbreak Hotel»

DISCO: **VARIAS RECOPILACIONES**
LETRA: **TOMMY DURDEN, MAE BOREN AXTON, ELVIS PRESLEY**
GRABACIÓN: **RCA STUDIOS, NASHVILLE**
PRODUCTOR: **STEVE SHOLES**

Es una gran melodía para practicar tus golpes de rock'n'roll. La marcha más lenta significa que podrás utilizar esta melodía para dar velocidad a canciones más rápidas. El solo que se muestra en la tablatura se consigue en la parte alta del mástil y suena muy bien en contraposición a la sección rítmica del rock'n'roll. Desliza el anular y el meñique hacia el 12.º traste para crear un fantástico sonido de rock'n'roll.

RIFF BÁSICO DE LA CANCIÓN

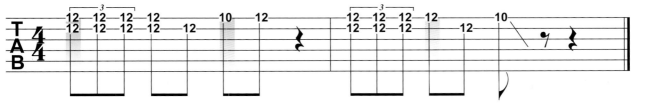

ASÍ ES COMO SE HACE

1 Haz un slide en el riff pisando las cuerdas 1.ª y 2.ª en el 12.º traste. Practica este deslizamiento ya que se utiliza mucho en el rock'n'roll.

2 Prepara el dedo índice para pisar el 10.º traste de la 1.ª cuerda. Recuerda que el ritmo te ayudará a coordinar.

3 Acentúa las dos últimas notas sobre la 1.ª cuerda. Todos los grandes solos de guitarra son melodías por derecho propio, por tanto escúchala.

GUITARRISTAS DE FOLK

Es difícil definir la música folk. En parte se debe a que personas diferentes utilizan el término para referirse a tipos de sonido muy distintos. Quizás la definición más aceptada es la de que la música folk es la música de la gente, transmitida de generación en generación como parte de la vida de una comunidad, y no con un fin comercial. Sin embargo, aunque tomes esta definición como punto de partida, puede incluir una enorme variedad de música: delta, blues, música de los Apalaches, bluegrass, celta o música tradicional inglesa, gospel, canciones de la unión, música tradicional de África, Asia, y de otras partes del mundo.

Por otro lado, hay muchas personas que emplean el término de «música folk» para expresar «todo lo que se toca con guitarra acústica». Es una definición que permite que toda clase de artistas se incluyan en el «folk». El resultado de todo ello es que cualquiera, desde un cantautor de canción protesta de la década de 1960 hasta un aparcero de la de 1920, se podría describir como músico folk. Se crea o no, ino todos tocan la guitarra del mismo modo!

Bueno, éste no es lugar para debatir la verdad o falsedad de tales definiciones. En vez de ello vamos a darte un breve resumen de algunos de los estilos de guitarra principales que podrían describirse como «folk».

LA TRADICIÓN AMERICANA

Para empezar nos fijaremos en los estilos de guitarra que se han desarrollado a partir de la música tradicional americana, especialmente del country y del blues. Dos de las influencias claves en la guitarra folk surgieron de la misma zona y en el mismo momento. Elizabeth Corten y Rev. Gary Davis nacieron en la última década del siglo XIX en las Carolinas, y los dos tocaron música de jazz de ritmo sincopado (ragtime), al estilo Piedmont de dos dedos, pero con unos resultados muy diferentes. La interpretación de Cotten combinaba elementos de todas las músicas diferentes que había en su familia: rag, melodías de baile, himnos y canciones de sala. Su sencillo estilo de punteo con los dedos sirvió de modelo a los intérpretes de folk de la década de 1950.

La influencia de Cotten se sintió mucho más de segunda mano, gracias a la adaptación que de su estilo realizaron cantantes de folk comerciales como Peter Paul y Mary. El Rev. Gary Davis fue una estrella por derecho propio. Su estilo complejo, con mezcla de influencias de ragtime y gospel procedentes de Blind Blake, tuvo una influencia más directa en los intérpretes de folk, con canciones como la de «Candy Man» y «Cocaine Blues» que se oían normalmente en los cafés.

Otro guitarrista de blues que tuvo una poderosa influencia sobre la música folk fue Leadbelly. Su interpretación con guitarra acústica de 12 cuerdas tenía una dinámica rítmica que iba a ejercer una enorme influencia en los futuros músicos de folk. En particular, influyó en Woody Guthrie, asociado normalmente a Leadbelly, y que

ARRIBA: *Woody Guthrie fue una figura clave en el desarrollo de la música folk americana, anticipando e inspirando a la generación de cantautores de la década de 1960, entre los que se encontraban Bob Dylan y Joan Baez.*

fue una figura principal del folk americano anterior a la década de 1960. Guthrie, a su vez, influiría en todos los cantantes posteriores de canción protesta folk que tocaban la guitarra, desde Pete Seeger y Ramblin'Jack Elliott a Bob Dylan y toda su legión de imitadores. Woody Guthrie adaptó viejas melodías de folk para crear las nuevas letras que protestaban contra la pobreza, la injusticia y la intolerancia, y construía partes de guitarra sencillas, duraderas, para acompañarlas. Su objetivo no era impresionar a los oyentes con su guitarra, sino animarles a puntear su propia guitarra, cantar sus propias canciones o transmitir sus propias canciones.

Durante las décadas de 1940 y 1950, este estilo se abrió paso en las listas del pop, con las grabaciones de folk de The Weavers y The Kingston Trio. No obstante, en la década de 1960, estalló un gran interés por la música folk entre los estudiantes e hizo que surgiera toda una gama de talentos nuevos más experimentales. Allí estaba Ramblin'Jack Elliot que podía cambiar desde el estilo de Woody Guthrie en «Roll in My Sweet Baby's Arms» al estilo de Rev. Gary Davis en «Railroad Hill». O allí estaba el experto punteador con los dedos, Dave Van Ronk, añadiendo una nueva sofisticación a sus interpretaciones de clásicos de Leadbelly. Joan Baez, mientras tanto, inspiraba a una generación de mujeres jóvenes a coger la guitarra folk.

ARTISTAS BRITÁNICOS

Al otro lado del Atlántico, se tardó un poco más de tiempo en aceptar a la guitarra como instrumento apropiado para la música folk. Los instrumentos tradicionales para este estilo en reino Unido eran acordeones o violines, o incluso banjos, más que guitarras. Todo eso cambió con el boom del jazz de la década de 1950 (skiffle). Como contrapartida tosca al boom del folk americano, el skiffle constaba de adolescentes blancos que hacían lo posible por imitar a Leadbelly.

Uno de estos jóvenes guitarristas skiffle fue Martin Carthy, y cuando empezó a interesarse por la música folk británica, aumentó su inmersión en las posibilidades que presentaba la guitarra como instrumento de folk. Durante los 50 años siguientes Carthy inventó, más o menos, lo que ahora se considera guitarra folk inglesa, caracterizada por un frugal punteo con los dedos y un sólido ataque de pulgar. Es un estilo de acompañamiento muy propulsor y sensible a la vez, según la demanda de la canción.

Otros guitarristas notables que aparecieron después de Carthy fueron Nic Jones, un artista dotado, pero con una carrera muy corta debido a un accidente de automóvil que le dejó imposibilitado para tocar y cantar, y la leyenda escocesa Dick Gaughan. Gaughan estaba a favor del punteo con púa plana *(flatpick)* y su mejor trabajo se oye en su interpretación de baladas folk clásicas como «Willie O'Winsbury» o «Craigie Hill», que comprenden una integración imponente de acompañamiento de cuerda y melodía. También es uno de los mejores intérpretes de melodías de baile celtas, en las que utiliza su técnica de punteo con púa plana. Sus adornos en guitarra pueden imitar los saltos de arco de un violín o los graznidos de una gaita. Experimenta regularmente afinaciones alternativas, por ejemplo Mi-La-Re-Mi-La-Mi o Mi-La-La-Mi-La-Mi para insinuar sonidos de gaita bajo la melodía.

Excelentes guitarristas de folk irlandeses son Paul Brady, en cuyas grabaciones de la década de 1970 incorporó una técnica de doble cuerda a su estilo de punteo con púa plana, añadiendo tosquedad y urgencia,

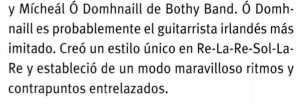

y Mícheál Ó Domhnaill de Bothy Band. Ó Domhnaill es probablemente el guitarrista irlandés más imitado. Creó un estilo único en Re-La-Re-Sol-La-Re y estableció de un modo maravilloso ritmos y contrapuntos entrelazados.

FOLK INSTRUMENTAL

Básicamente, todos los guitarristas de folk mencionados utilizan la guitarra para acompañar, aunque con frecuencia de un modo bastante complicado. Sin embargo, durante la década de 1960, surgió una nueva escuela de guitarristas de folk que se concentraron en el trabajo instrumental puro. Estos intérpretes, sin que sorprenda mucho, solían ser los que habían elevado al estilo a nuevos niveles de virtuosismo técnico.

El pionero de esta dirección fue John Fahey, que empezó a grabar en 1959. Fahey cogió golpes de guitarra acústica country y blues tradicionales y

ABAJO: *La música folk no se trata de tradicionalismo necesariamente. John Fahey era conocido por su experimentación acústica, y su popularidad resurgió con el avante garde musical de la década de 1990.*

los empleó para crear una especie de música clásica primitiva americana. Ser compositor se convirtió en el aspecto definitivo de su música, al igual que para muchos sucesores, quienes se describieron guitarristas compositores. Entre los primeros se encuentra Robbie Basho, que empezó su carrera grabando con la misma etiqueta que Fahey. En algunos sentidos influyó aún más en los guitarristas compositores de la Nueva Era por su amor a la música oriental.

Otro artista que debutó con la etiqueta de Fahey fue Leo Kottke, que recogió la idea de Fahey y Basho y tuvo éxito al llevarla a la audiencia de masas. Su álbum de 1969 *Six-and 12-String Guitar* es, posiblemente, el disco de guitarrista compositor más influyente de la historia. A partir de la década de 1970, el desarrollo de la música de guitarra instrumental en Estados Unidos se iba inclinando cada vez más hacia la Nueva Era. Este cambio fue aumentando en la década de 1980 con el éxito de Windham Hill Records, con guitarristas como Alex de Gras, cuyos arpegios, que fluían sin esfuerzo, y su estilo relajado llegaron a definir realmente la guitarra de la Nueva Era, como lo hizo también Michael Hedges, con sus prodigiosas técnicas de golpeo con las dos manos.

EXPERIMENTACIÓN EN EL BLUES

Mientras los artistas de Windham Hill y Takoma estaban redefiniendo en Estados Unidos el estilo de guitarra interpretada con los dedos, algo parecido estaba sucediendo al otro lado del Atlántico. La contrapartida británica de John Fahey era otro experimentador llamado Davey Graham. El álbum de Graham, *Folk, Blues And Beyond,* mezclaba el folk inglés tradicional con el blues y con influencias norteafricanas para dar un efecto imponente. También fue uno de los primeros guitarristas británicos que experimentó afinaciones alternativas, especialmente, la que tanto influyó: Re-La-Re-Sol-La-Re.

Entre los discípulos de Graham se encontraban John Renbourn y Bert Jansch, dos excelentes guitarristas que durante un breve período de tiempo formaron equipo en el grupo Pentangle. El estilo de Renbourn es recargado y lleva influencias de estilos ingleses prebarrocos. Bert Jansch es un guitarrista más puntiagudo. Muy influenciado por el descubrimiento de Re-La-Re-Sol-La-Re de Graham, Jansch es un brillante estilista con los dedos y su influencia no sólo aparece en Donovan, sino también en el trabajo acústico de Jimmy Page.

Todas estas escuelas de guitarra folk tienen sus partidarios, pero quizás los más influyentes son aquellos que ni siquiera pensamos que son guitarristas, o al menos no guitarristas exclusivamente. Son los cantautores «folk» que empezaron a aparecer a finales de la década de 1960, encabezados por Paul Simon, Joni Mitchell y James Taylor. Puede que no hayan inspirado a nadie a convertirse en unos virtuosos de la guitarra, pero hicieron algo igual de importante: situar a la guitarra en primer lugar.

AFINACIONES ALTERNATIVAS

¿Por qué les gusta tanto a muchos guitarristas de folk, desde Joni Mitchell hasta Davey Graham, utilizar afinaciones alternativas? Bueno, quizás la verdadera cuestión sea: ¿Por qué demonios la afinación estándar de la guitarra es estándar? Después de todo, la afinación estándar Mi-La-Re-Sol-Si-Mi se basa, en realidad, en una combinación bastante extraña de una tercera mayor y cuatro cuartas perfectas, lo que hace que algunos acordes resulten muy difíciles de tocar. Las razones de esta adopción son históricas en parte, tienen que ver con el desarrollo del instrumento, y en parte son mecánicas, ya que no se da demasiada tensión a las cuerdas, y también cuestión de suerte, porque sucedió que esta afinación en particular iba a ser la que permaneciera. Una vez que se ha establecido una estándar, le facilita la vida a todo el mundo. Además, una vez has afinado una guitarra de un modo determinado, es un auténtico lío volverla a afinar para diferentes canciones, especialmente cuando se toca en directo (asumiendo que no tienes una guitarra que espere el apoyo de una docena de guitarras con afinaciones distintas).

Sin embargo, es un error que esto te disuada, ya que experimentar con las afinaciones te abre todo un mundo de posibilidades, y no sólo son para los expertos. En realidad es mucho más fácil tocar los acordes básicos en algunas afinaciones alternativas.

Las afinaciones alternativas más comunes son las que se conocen como afinaciones abiertas, en las cuales las cuerdas agudas de la guitarra se afinan formando un acorde simple; de ese modo, las cuerdas en afinación abierta en Do forman un acorde Do mayor, las cuerdas en afinación abierta en Sol forman un acorde en Sol mayor, etc. Invariablemente, ésto facilita tocar en la clave «natural» de la afinación.

Otro uso bastante común de las afinaciones abiertas es tocar las cuerdas agudas como tonos sostenidos (drone). Es un modo fácil de crear combinaciones de acordes poco corrientes y grupos tonales sostenidos interesantes. Es una gran ayuda también cuando se toca con un cuello de botella o con un slide para guitarra, ya que se puede colocar el slide en cualquier traste y tocar un acorde con las seis cuerdas. De igual modo, los armónicos tienen más posibilidades en afinaciones abiertas. Puedes tocar armónicos en las seis cuerdas, en los trastes 12.º, 7.º y 5.º.

Otras posibilidades son las afinaciones basadas en otros instrumentos, como la mandolina, la mandolina plana y el laúd, que pueden producir algunos sonidos realmente innovadores. Otra posibilidad es probar afinaciones regulares, en las cuales las cuerdas se afinan uniformemente en el diapasón. Esto permite mover los acordes hacia arriba y hacia abajo en el diapasón como un compás de acorde normal, y también moverse a lo ancho del mismo, permitiendo al guitarrista novato acceder a toda una gama de acordes con una mínima variación de los dedos. Si todavía te asusta la idea de cambiar de afinación, quizás deberías pensar en un control de guitarra MIDI. Sólo pulsando un botón puedes cambiar la afinación de las seis cuerdas; y, de repente, las posibilidades de experimentar no tienen fin.

PUNTEO CON PÚA PLANA

Los estilos principales de puntear en guitarra folk se conocen como punteo con los dedos (del que se ha hablado en el capítulo de country) y el punteo con púa plana. Básicamente, la técnica se basa en la utilización de este tipo de púa (o plectro plano) en vez de con los dedos, con púas de dedos o con púas para el dedo pulgar. El plectro es una astilla delgada, generalmente hecha de plástico, de nylon o de caparazón de tortuga, y su utilización produce sonidos bastante diferentes en una guitarra de cuerdas de acero.

Tanto el estilo de punteo con los dedos como el de punteo con púa plana surgieron a principios del siglo pasado, cuando los músicos se dieron cuenta de que la guitarra era capaz de ser algo más que un instrumento para acompañar en el ritmo. El término «flatpicking» (punteo con púa plana) lo crearon los primeros guitarristas acústicos en la música tradicional country y bluegrass, quienes empezaron a utilizar plectros. Algunos de los pioneros son Don Reno y Bill Napier en música bluegrass; Django Reinhardt y Eddie Lang en música jazz, y los Delmore Brothers, los Blue Sky Boys, Jimmie Rodgers y Hank Show en música country.

ABAJO: *Nick Drake fue la quintaesencia de guitarrista folk británico, como se sabe por sus afinaciones muy poco corrientes.*

Durante las décadas de 1960 y 1970, la técnica del punteo con púa plana se extendió aún más cuando los solos de guitarra se hicieron más prominentes en el bluegrass, el folk y la música tradicional. Entre los mayores exponentes de este estilo se encuentran Doc Watson, Clarence White, Tony Rice y Norman Blake. La técnica básica consta de sujetar el plectro con el dedo pulgar y el índice para tocar las notas más bajas, mientras que se puntean las notas más altas con los dedos medio y/o anular. El tipo de guitarra más famoso para el punteo con púa plana es, definitivamente, el «dreadnought», fabricada por Martin. En parte se debe a la tradición y en parte a la respuesta de su bajo, haciendo que sean guitarras ideales para el bluegrass, que requiere que se toque mucho ritmo detrás de una banda de cuerda.

JOHN FAHEY

1939-2001
BANDA: **SOLISTA**
MAYOR FAMA: **DÉCADA DE 1960**

John Fahey es un guitarrista que pasó 40 años trazando su propio camino. Como muchos otros contemporáneos suyos que crecieron en América en la década de 1950, quedó extasiado por el redescubrimiento de los punteadores de country y blues de antes de la guerra. Sin embargo, unos cuantos profundizaron en su trabajo con tanto detalle y tanto éxito que convirtieron esas influencias en algo igualmente misterioso y profundo.

Algunos aspectos de su interpretación a la guitarra son tradicionales casi «deliberadamente», pero la interpretación de Fahey demuestra que las técnicas del punteo con los dedos, procedentes del country y del blues, podrían emplearse también para incorporar elementos de música india e, incluso, toques de compositores clásicos modernos como Bela Bartok. Es una combinación que el resto del mundo todavía está intentando captar.

Fahey nació el 28 de febrero de 1939 en Washington D.C. El joven Fahey desarrolló un gusto musical diverso que abarcaba el pop, el clásico moderno y los himnos episcopales. En su adolescencia se compró su primera guitarra, una Silvertone, por 17 dólares, y empezó a intentar tocar toda la clase de música diferente que le gustaba. Se fue introduciendo en la música folk americana cada vez más.

Hizo su primer álbum en 1959, con el pseudónimo de «Blind Joe Death». Sus discos de principios de la década de 1960 fueron cada vez más ambiciosos, tomando influencias orientales y extendiendo sus improvisaciones a 20 minutos. De ese modo, anticipaba la experimentación de grupos como el de The Grateful Dead. También utilizó toda una gama de afinaciones de guitarra poco corrientes. Llevó su propia etiqueta, Takoma, hasta la década de 1970, lanzando discos por medio de protegidos, como Leo Kottke. En 1986 contrajo el síndrome de Epstein-Barr, una infección vírica de larga duración, y la enfermedad afectó mucho su carrera. Sin embargo, empezó otra vez a trabajar en la década de 1990 y Fahey volvió a grabar, a actuar y a ser muy aclamado antes de su muerte en 2001.

DERECHA: *John Fahey volvió al escenario en la década de 1990. Ésta es una fotografía tomada en un concierto de Nueva York en 1997.* City of Refuge, *su álbum de ese momento, demostró su fusión experimental de folk y blues.*

AMERICAN PRIMITIVE

El nombre que John Fahey le dio a su particular técnica de guitarra fue «American primitive». Es una frase que no pretende llegar al corazón del proyecto de Fahey. Éste empezó a reconstruir, básicamente, la interpretación compleja, aunque sin estudios, de hombres como Robert Johnson o Charlie Patton y después la aplicó a estilos musicales muy diferentes. Lo logró utilizando lo que se conoce, normalmente, por guitarra «fingerstyle» (tocada con los dedos). Se basa en las técnicas de empleo de la mano derecha, junto a afinaciones alternativas, que utilizaban los intérpretes pioneros de blues del Delta.

Tomando en primer lugar el punteo, la clave es la síncopa, y en la interpretación de Fahey se aplica con frecuencia a compases extraordinariamente lentos. De ese modo Fahey podría haber tocado un acorde de tres notas en las cuerdas agudas y movido en medias notas subiendo y bajando por el mástil de la guitarra mientras el pulgar se mantenía alternando en las cuerdas que quedan al aire. Sin embargo, mientras en la interpretación de jazz un movimiento cromático similar a éste se haría en un paso rápido, Fahey se detendría en cada media nota durante un compás o dos antes de moverse. Mientras tanto la mano derecha ofrecería una síncopa como la del ragtime. El resultado de todo ésto en la interpretación de Fahey sería añadir la clase de disonancia que encontrarías en Bartok, en el punteo con los dedos tradicional americano: American primitive en acción.

Respecto a las afinaciones, Fahey emplearía toda una gama de afinaciones desde la afinación en Sol relativamente familiar (Re-Sol-Re-Sol-Si-Re) y abierta en Re (Re-La-Re#-Fa-La-Re) a la abierta en Do, menos corriente, (Do-Sol-Do-Sol-Do-Mi), abierta en Re menor (Re-La-Re-Fa-La-Re), abierta en Sol menor (Re-Sol-Re-Sol-Si bemol-Re) y Do drone (Do-Do-Do-Sol-Do-Mi).

IZQUIERDA: *Junto a los ruidos de fábricas y de trenes característicos en sus grabaciones, se sabe que Fahey tenía un carácter difícil y solitario, tan único como su música.*

«The Yellow Princess»

DISCO: *THE YELLOW PRINCESS*
LETRA: JOHN FAHEY
GRABACIÓN: SIERRA SOUND LABORATORIES, BERKELEY
PRODUCTORES: SAMUEL CHARTERS, BARRET HANSEN

Esta introducción emplea la técnica «fingerstyle» (punteo con los dedos) para puntear las notas en las cuerdas graves y agudas. Practica esta técnica para mejorar tu sonido. Hay un amplio repertorio de melodías e instrumentales de folk como esta encantadora pieza de John Fahey que podrás tocar una vez hayas dominado este estilo de tocar. Utiliza el pulgar para puntear las notas de las cuerdas graves. Aprende a mantener la coordinación mientras tocas este estilo.

RIFF BÁSICO DE LA CANCIÓN

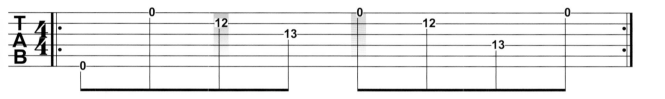

ASÍ ES COMO SE HACE

1 Se muestra las notas Si y La bemol en las cuerdas 2.ª y 3.ª. Mantén unidas ambas notas preparadas para ser tocadas por la mano de puntear.

2 Observa el pulgar preparado para tocar al aire la 6.ª cuerda y el índice y el dedo medio preparados para tocar las otras notas de la melodía.

NICK DRAKE

1948-1974
BANDA: **SOLISTA**
GRABACIÓN: **FINALES DE LA DÉCADA DE 1960 A PRINCIPIOS DE LA DE 1970**
MAYOR FAMA: **DESDE LA DÉCADA DE 1990 HASTA LA ACTUALIDAD**

Como persona, el cantautor británico cada vez más legendario, Nick Drake, era evasivo, casi imposible de localizar. Lo mismo sucede con su interpretación de guitarra. Su amigo y arreglista, Robert Kirby, comentaba una vez que mientras que otros guitarristas importantes tenían multitud de imitadores, Nick Drake apenas tenía alguno.

¿Cuál es la razón? Quizás porque es demasiado difícil. A Nick Drake no solo le encantaban las afinaciones poco normales (que nunca escribió), también se prestó a fantásticos patrones de complicados punteos con los dedos. Es esta originalidad inconformista la que hizo que Nick Drake fuera uno de los guitarristas individuales británicos más brillantes.

Nick Drake nació en lo que entonces era Birmania, el 19 de junio de 1948. Su familia regresó a Reino Unido cuando él tenía dos años y fue al colegio privado de Marlborough cuando tenía 13 años. Mientras estuvo allí, empezó a tocar la guitarra y a escribir canciones. Desde el colegio fue a la Universidad de Cambridge y siendo todavía estudiante consiguió contactar con Island Records y el productor Joe Boyd. Este equipo sacaría dos discos, ambos considerados clásicos. El primer trabajo, *Five Leaves Left,* estaba lleno de delicados trabajos de guitarra y maravillosos arreglos de cuerda complementarios (muy ingleses). El segundo, *Bryter Layter,* siguió el mismo camino y cuando dejó de venderse, Drake se reprimió. Su último disco, *Pink Moon,* producido por Drake y John Wood, fue un trabajo oscuro, poco denso, era interpretado casi en su totalidad por él solo. Salió en 1972, pero, como los anteriores, fueron un fracaso comercial. Drake cayó en una depresión que le llevaría a la muerte en noviembre de 1974 después de una sobredosis de somníferos. Desde ese momento, su popularidad ha aumentado con rapidez porque las generaciones siguientes han descubierto el talento singular de un hombre tristemente ignorado por su propia generación.

DERECHA: *Nick Drake fue un guitarrista de folk con talento, aunque vulnerable. Su primera guitarra la compró por 13 dólares, y muchas de las canciones que escribió mientras estaba en la Universidad de Cambridge se oirían después en* Five Leaves Left.

«River Man»

DISCO: *FIVE LEAVES LEFT*
LETRA: **NICK DRAKE**
GRABACIÓN: **LONDRES (REINO UNIDO)**
PRODUCTOR: **JOE BOYD**

Ésta es una magnífica melodía que suena maravillosamente, tanto si se puntea como si se rasguea. Requiere un cambio de afinación a Do-Sol-Do-Fa-Do-Mi. Ten cuidado de no romper las cuerdas cuando cambies la afinación. El diagrama muestra los dos primeros acordes de la canción. Otro acorde que se emplea en la canción es La bemol. Intenta cantar la melodía vocal mientras practicas el movimiento entre estos acordes y añades el acorde La bemol.

ACORDES BÁSICOS DE LA CANCIÓN

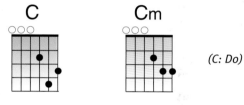

(C: Do)

ASÍ ES COMO SE HACE

1 El dedo índice está en el 2.º traste de la 3.ª cuerda, el anular en el 4.º traste de la 2.ª cuerda y el dedo medio pisa la 1.ª cuerda.

2 Pon el índice en el 2.º traste de la 3.ª cuerda, el dedo medio y el anular en el traste 3.º de las cuerdas 1.ª y 2.ª.

IZQUIERDA: *Nick Drake fue un destacado músico que tuvo poco éxito comercial durante su breve vida. Estas fotografías fueron tomadas por Keith Morris, el único fotógrafo profesional que se sabe que haya fotografiado a Drake durante sólo tres sesiones, una para cada uno de sus discos.*

ACORDES ÚTILES: LA (A)

O CUERDA AL AIRE	**X** NO TOQUES ESTA CUERDA	◯ CUERDA OPCIONAL
1 DEDO ÍNDICE	**2** DEDO MEDIO	**3** DEDO ANULAR	**4** DEDO MEÑIQUE

La mayor (A)

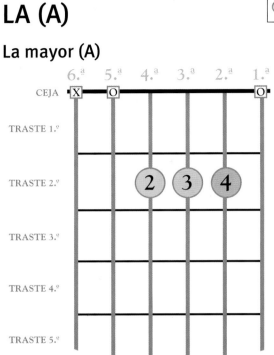

Con el dedo medio pisa la 4.ª cuerda en el 2.º traste, con el dedo anular la 3.ª cuerda en el 2.º traste y con el dedo meñique la 2.ª cuerda en el 2.º traste también.

La menor (A minor)

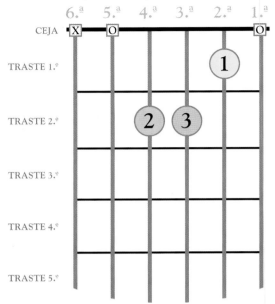

Con el dedo índice pisa la 2.ª cuerda en el traste 1.º, mientras que el dedo medio pisa la 4.ª cuerda en el 2.º traste y el anular la 3.ª cuerda también en el 2.º traste.

La 7.ª (A7)

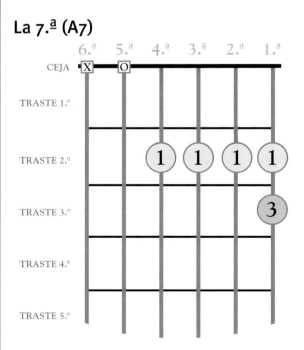

El dedo índice se coloca pisando simultáneamente las cuerdas 1.ª, 2.ª, 3.ª y 4.ª en el 2.º traste y con el dedo medio o anular, el que resulte más cómodo, se pisa la 1.ª cuerda en el traste 3.º.

La mayor 7.ª (A maior 7)

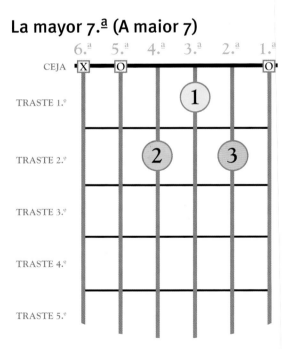

El dedo índice pisa la 3.ª cuerda en el traste 1.º, el dedo medio pisa la 4.ª cuerda en el 2.º traste y el anular la 2.ª cuerda en el 2.º traste.

La bemol mayor 7.ª (A flat major 7)

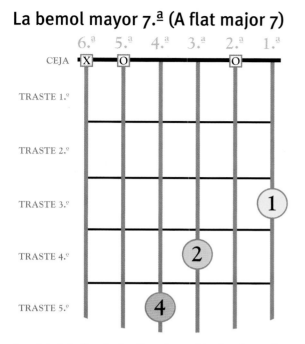

Con el dedo índice pisa la 1.ª cuerda en el traste 3.º, con el dedo medio pisa la 3.ª cuerda en el 4.º traste y con el anular la 4.ª cuerda en 5.º traste.

La menor 7.ª (A minor 7)

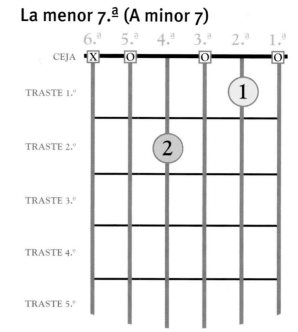

Con el dedo índice pisa la 2.ª cuerda en el traste 1.º y con el dedo medio la 4.ª cuerda en el 2.º traste. El resto de las cuerdas, excepto la 6.ª, deben sonar también.

La 6.ª (A 6)

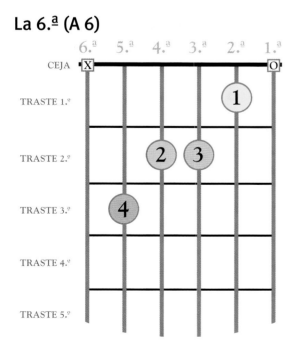

Con el dedo índice pisa la 2.ª cuerda en el traste 1.º, con el dedo medio la 4.ª cuerda en el 2.º traste, con el dedo anular la 3.ª cuerda también en el 2.º traste y con el meñique la 5.ª cuerda en el traste 3.º.

La 9.ª (A 9)

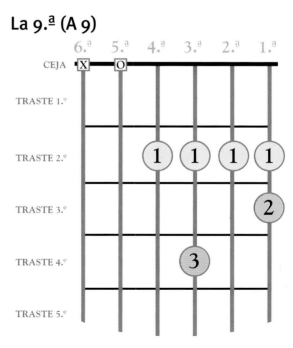

El dedo índice se coloca pisando las cuerdas 1.ª, 2.ª, 3.ª y 4.ª simultáneamente en el 2.º traste, el dedo medio pisa la 1.ª cuerda en el traste 3.º y el anular pisa la 3.ª cuerda en el 4.º traste.

ACORDES ÚTILES: SI (B)

Si mayor (B)

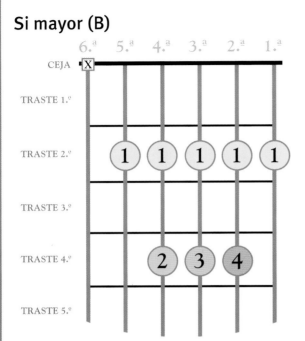

Se coloca el dedo índice pisando simultáneamente las cuerdas 1.ª, 2.ª, 3.ª, 4.ª y 5.ª en el 2.º traste, mientras que con el dedo medio se pisa la 4.ª cuerda en el 4.º traste, con el anular la 3.ª cuerda en el 4.º traste y con el meñique la 2.ª cuerda también.

Si menor (B minor)

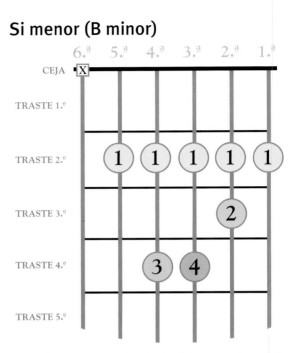

El dedo índice se coloca pisando simultáneamente las cuerdas 1.ª, 2.ª, 3.ª, 4.ª y 5.ª en el 2.º traste, mientras que el dedo medio pisa la 2.ª cuerda en el traste 3.º, el dedo anular la 4.ª cuerda en el traste 4.º y el meñique la 3.ª cuerda también en el 4.º traste.

Si 7.ª (B 7)

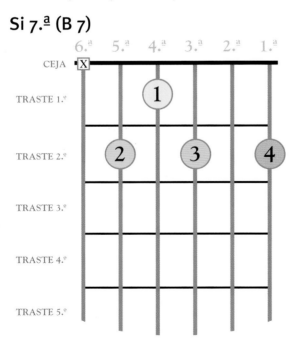

El dedo índice pisa la 4.ª cuerda en el traste 1.º, el dedo medio la 5.ª cuerda en el 2.º traste, el dedo anular la 3.ª cuerda en el 2.º traste y el meñique la 1.ª cuerda en el 2.º traste.

Si mayor 7.ª (B major 7)

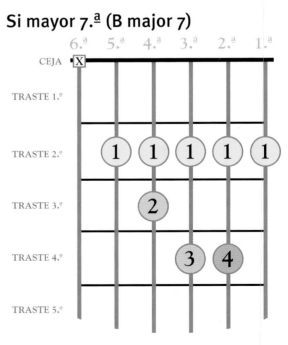

Se coloca el dedo índice pisando simultáneamente las cuerdas 1.ª, 2.ª, 3.ª, 4.ª y 5.ª en el 2.º traste, al tiempo que el dedo medio pisa la 4.ª cuerda en el traste 3.º, el dedo anular la 3.ª cuerda en el traste 4.º y el meñique la 2.ª cuerda en el 4.º traste.

ACORDES ÚTILES: DO (C)

Si bemol mayor (B flat)

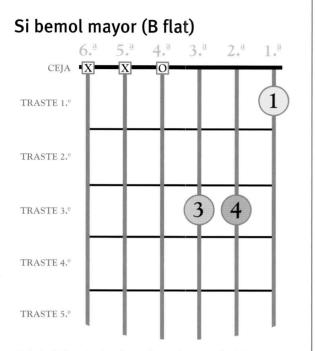

El dedo índice pisa la 1.ª cuerda en el traste 1.º, el dedo medio la 3.ª cuerda en el traste 3.º y el meñique la 2.ª cuerda en el traste 3.º.

Do mayor (C)

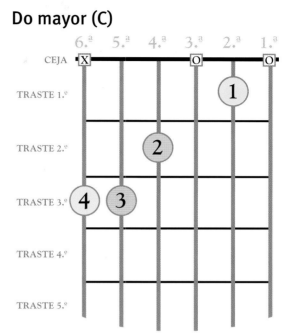

El dedo índice pisa la 2.ª cuerda en el traste 1.º, el dedo medio la 4.ª cuerda en el 2.º traste, mientras que el dedo anular pisa la 5.ª cuerda en el traste 3.º. Pisar con el meñique la 6.ª cuerda en el traste 3.º es optativo.

Si menor 7.ª (B minor 7)

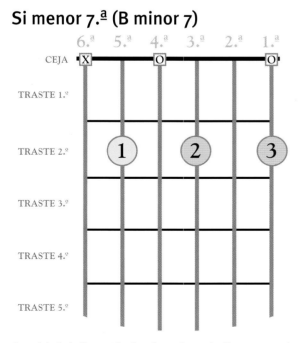

Con el dedo índice se pisa la 5.ª cuerda en el 2.º traste, con el dedo medio la 3.ª cuerda en el 2.º traste y con el dedo anular la 1.ª cuerda en el 2.º traste.

Do 7.ª (C 7)

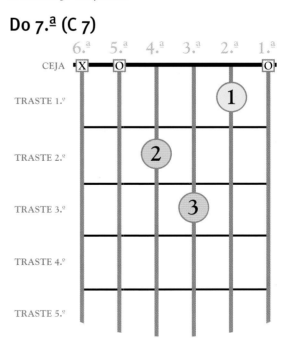

El dedo índice pisa la 2.ª cuerda en el traste 1.º, el dedo medio la 4.ª cuerda en el 2.º traste y el dedo anular la 3.ª cuerda en el traste 3.º.

Do menor (C minor)

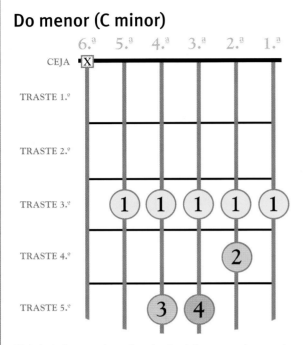

El dedo índice se coloca pisando simultáneamente las cuerdas
1.ª, 2.ª, 3.ª, 4.ª y 5.ª en el traste 3.º, el dedo medio pisa la 2.ª
cuerda en el 4.º traste, el dedo anular pisa la 4.ª cuerda en el
5.º traste y el meñique la 3.ª cuerda también en el 5.º traste.

Do sostenido (C#)

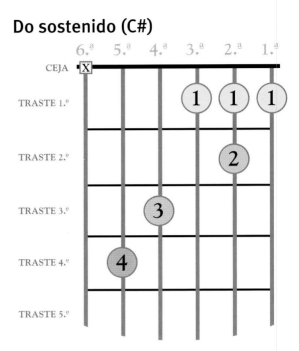

Con el dedo índice se pisan las cuerdas 1.ª, 2.ª y 3.ª
simultáneamente sobre el traste 1.º, con el dedo medio se pisa
la 2.ª cuerda en el 2.º traste, el dedo anular pisa la 4.ª cuerda
en el traste 3.º y el meñique la 5.ª cuerda en el 4.º traste.

Do mayor 7.ª (C major 7)

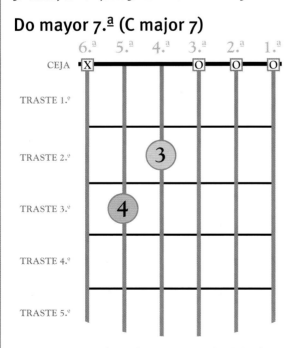

Para tocar este acorde pueden usarse tanto los dedos índice y
anular como los dedos medio y meñique, emplea la
combinación de dedos que te resulte más cómoda. Se pisa la
4.ª cuerda en el 2.º traste y la 5.ª cuerda en el traste 3.º.

Do 6.ª (C 6)

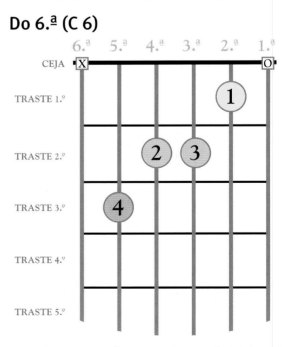

El dedo índice pisa la 2.ª cuerda en el traste 1.º, el dedo medio
pisa la 4.ª cuerda en el traste 2.º, el dedo anular la 3.ª cuerda
en el 2.º traste y el meñique la 5.ª cuerda en el traste 3.º.

ACORDES ÚTILES: RE (D)

Do menor 7.ª (C minor 7)

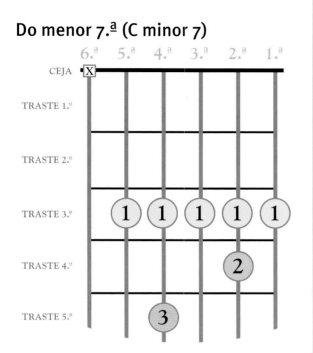

Con el dedo índice se pisan simultáneamente las cuerdas 1.ª, 2.ª, 3.ª, 4.ª y 5.ª en el traste 3.º. El dedo medio pisa la 2.ª cuerda en el 4.º traste y el anular la 4.ª cuerda en el 5.º traste.

Do 9.ª (C 9)

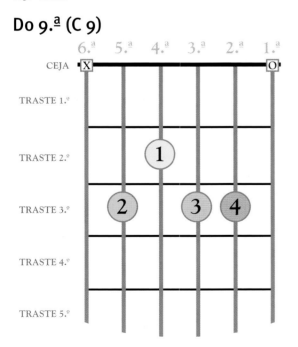

El dedo índice pisa la 4.ª cuerda en el 2.º traste, el dedo medio pisa la 5.ª cuerda en el traste 3.º, el dedo anular la 3.ª cuerda en el traste 3.º y el meñique la 2.ª cuerda en el traste 3.º también.

Re mayor (D)

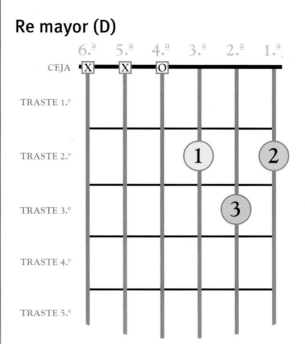

Con el dedo índice se pisa la 3.ª cuerda en el 2.º traste, con el dedo medio la 1.ª cuerda en el 2.º traste y con el anular la 2.ª cuerda en el traste 3.º.

Re 7.ª (D 7)

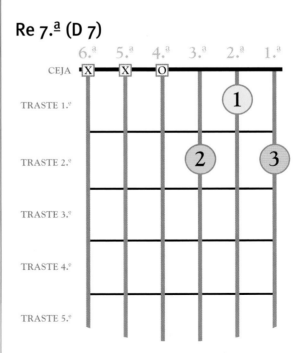

El dedo índice pisa la 3.ª cuerda en el traste 2.º, el dedo medio pisa la 1.ª cuerda en el 2.º traste y el anular la 2.ª cuerda en el traste 3.º.

Re menor (D minor)

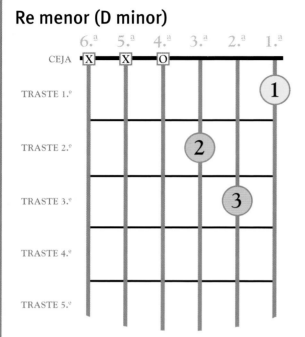

El dedo índice pisa la 1.ª cuerda en el traste 1.º, el dedo medio pisa la 3.ª cuerda en el 2.º traste y el anular la 2.ª cuerda en el traste 3.º.

Re menor 7ª (D minor 7)

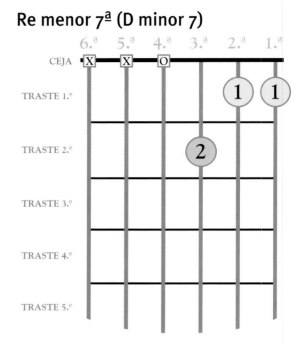

Con el dedo índice se pisan simultáneamente las cuerdas 1.ª y 2.ª, mientras que el dedo medio pisa la 3.ª cuerda en el 2.º traste. Este acorde incluye la 4.ª cuerda que se toca al aire.

Re 6.ª (D 6)

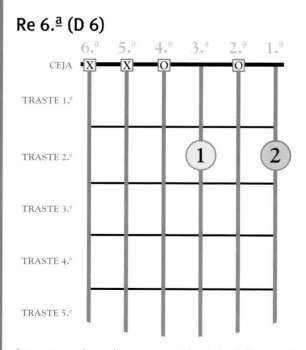

Para este acorde pueden usarse tanto los dedos índice y medio como los dedos medio y anular al pisar las cuerdas 3.ª y 1.ª, ambas en el 2.º traste.

Re 9.ª (D 9)

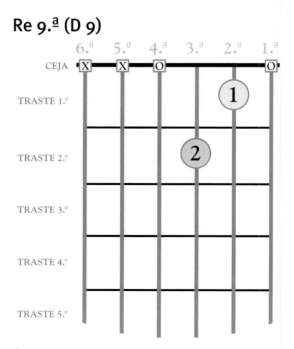

¡Éste es muy fácil! El dedo índice pisa la 2.ª cuerda en el traste 1.º y el dedo medio pisa la 3.ª cuerda en el 2.º traste. La 4.ª cuerda y la 1.ª deben sonar al aire.

ACORDES ÚTILES: MI (E)

Mi mayor (E)

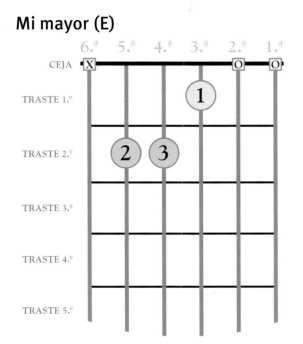

Para el acorde de Mi mayor, el dedo índice debe pisar la 3.ª cuerda en el traste 1.º, el dedo medio pisa la 5.ª cuerda en el 2.º traste y el anular la 4.ª cuerda en el 2.º traste.

Mi menor (E minor)

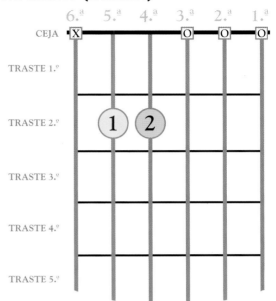

Con el dedo índice se pisa la 5.ª cuerda en el 2.º traste y con el medio se pisa la 4.ª cuerda también en el 2.º traste. En vez de estos dedos también pueden utilizarse el medio y el anular, si resulta más cómodo.

Mi bemol (E 7)

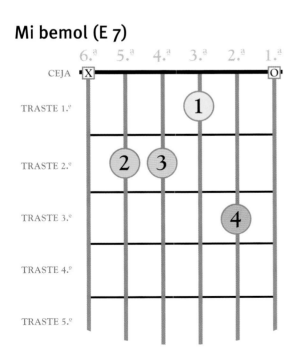

El dedo índice pisa la 4.ª cuerda en el traste 1.º, el dedo medio pisa la 3.ª cuerda en el traste 3.º, el dedo anular pisa la 1.ª cuerda en el traste 3.º y el meñique la 2.ª cuerda en el 4.º traste.

Mi mayor 7.ª (E major 7)

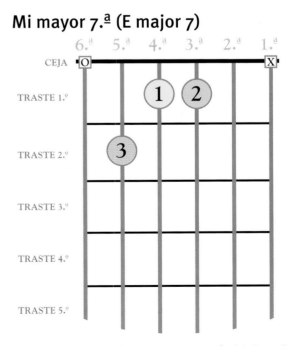

El dedo índice pisa la 4.ª cuerda en el traste 1.º, el dedo medio la 3.ª cuerda también en el traste 1.º y el anular pisa la 5.ª cuerda en el 2.º traste.

Mi bemol (E flat)

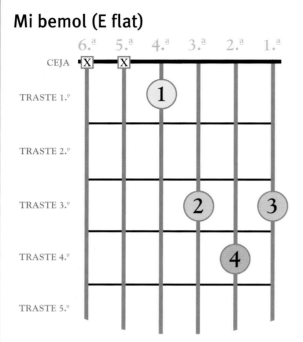

El dedo índice pisa la 4.ª cuerda en el traste 1.º, el dedo medio pisa la 3.ª cuerda en el traste 3.º, el dedo anular pisa la 1.ª cuerda en el traste 3.º y el meñique la 2.ª cuerda en el 4.º traste.

Mi menor 7.ª (E minor 7)

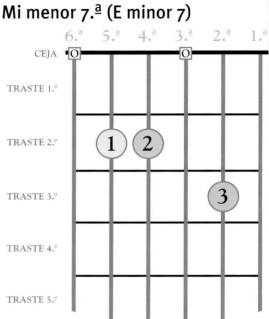

El dedo índice pisa la 5.ª cuerda en el 2.º traste, el dedo medio pisa la 4.ª cuerda en el 2.º traste y con el anular o el meñique se pisa la 2.ª cuerda en el traste 3.º.

Mi 6.ª (E 6)

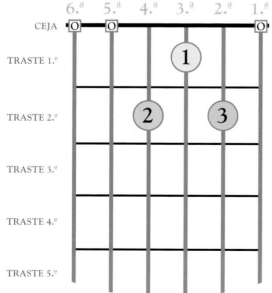

Con el dedo índice se pisa la 3.ª cuerda en el traste 1.º, con el dedo medio se pisa la 4.ª cuerda en el 2.º traste y con el anular la 2.ª cuerda en el 2.º traste.

Mi 9.ª (E 9)

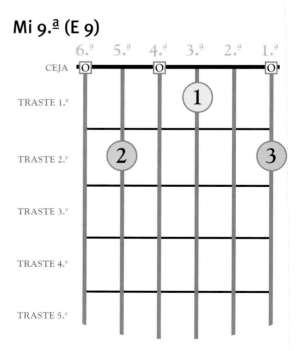

El dedo índice pisa la 3.ª cuerda en el traste 1.º, el dedo medio pisa la 5.ª cuerda en el 2.º traste y el anular pisa la 1.ª cuerda en el 2.º traste.

ACORDES ÚTILES: FA (F)

Mi bemol mayor 7.ª (E flat major 7)

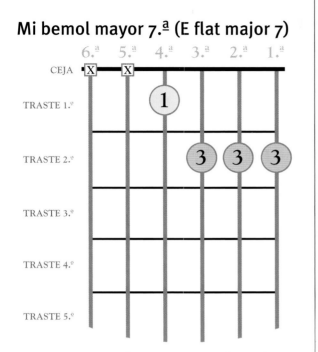

El dedo índice pisa la 4.ª cuerda en el traste 1.º, después el dedo anular (o el medio, si resulta más cómodo) pisa simultáneamente las cuerdas 1.ª, 2.ª y 3.ª en el traste 3.º.

Fa mayor (F)

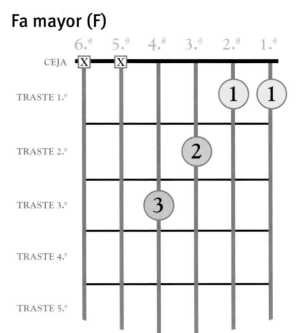

Con el dedo índice se pisan simultáneamente la 1.ª y 2.ª cuerdas en el traste 1.º, con el dedo medio se pisa la 3.ª cuerda en el 2.º traste y con el anular la 4.ª cuerda en el traste 3.º.

Mi bemol menor 7.ª (E flat minor 7)

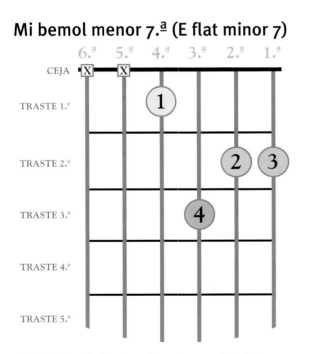

El dedo índice pisa la 4.ª cuerda en el traste 1.º, el dedo medio pisa la 2.ª cuerda en el 2.º traste, el dedo anular pisa la 1.ª cuerda en el 2.º traste y el meñique la 3.ª cuerda en el traste 3.º.

Fa 7.ª (F 7)

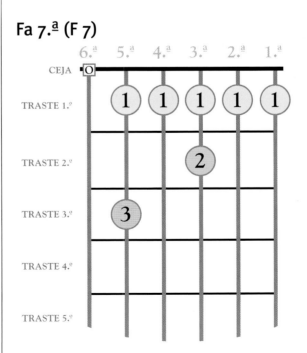

Con el dedo índice se pisan las cuerdas 1.ª, 2.ª, 3.ª, 4.ª y 5.ª de forma simultánea sobre el traste 1.º, con el dedo medio se pisa la 3.ª cuerda en el 2.º traste y con el anular se pisa la 4.ª cuerda en el traste 3.º.

Fa menor (F minor)

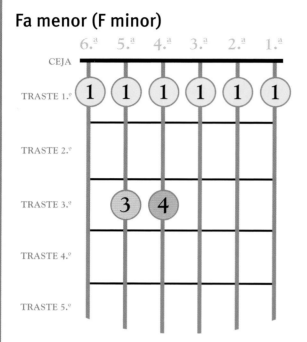

Con el dedo índice se pisan simultáneamente las seis cuerdas sobre el traste 1.º, mientras que el dedo anular pisa la 5.ª cuerda en el traste 3.º y el meñique la 4.ª cuerda también en el traste 3.º.

Fa mayor 7.ª (F major 7)

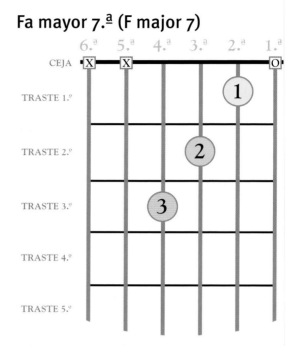

El dedo índice pisa la 2.ª cuerda en el traste 1.º, el dedo medio pisa la 3.ª cuerda en el 2.º traste y, finalmente, el anular pisa la 4.ª cuerda en el traste 3.º.

Fa sostenido (F #)

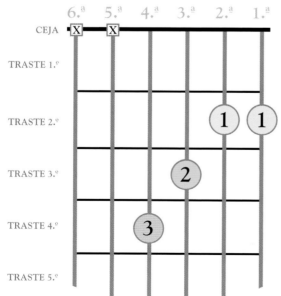

Para el acorde de Fa sostenido el dedo índice pisa las cuerdas 1.ª y 2.ª de forma simultánea sobre el 2.º traste, el dedo medio pisa la 3.ª cuerda en el traste 3.º y el anular la 4.ª cuerda en el 4.º traste.

Fa sostenido 7.ª (F # 7)

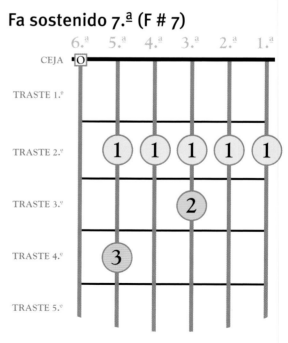

Con el dedo índice se pisan simultáneamente las cuerdas 1.ª, 2.ª, 3.ª, 4.ª y 5.ª sobre el 2.º traste, con el dedo medio se pisa la 3.ª cuerda en el traste 3.º y con el anular la 5.ª cuerda en el 4.º traste.

ACORDES ÚTILES: SOL (G)

Fa 6.ª (F 6)

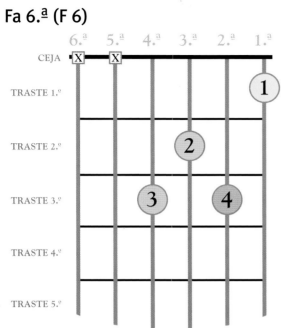

El dedo índice pisa la 1.ª cuerda en el traste 1.º, el dedo medio pisa la 3.ª cuerda en el 2.º traste, el dedo anular pisa la 4.ª cuerda en el traste 3.º y el meñique pisa la 2.ª cuerda también en el traste 3.º.

Fa 9.ª (F 9)

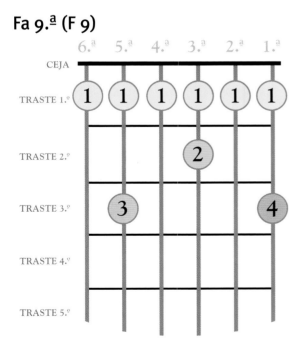

Con el dedo índice se pisan simultáneamente las seis cuerdas en el traste 1.º, el dedo medio pisa la 3.ª cuerda en el 2.º traste, el dedo anular la 5.ª cuerda en el traste 3.º y el meñique pisa la 1.ª cuerda en el traste 3.º.

Sol mayor (G)

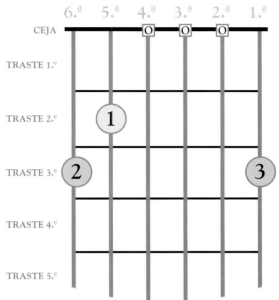

Para tocar el acorde de Sol mayor, el dedo índice pisa la 5.ª cuerda en el 2.º traste, el dedo medio pisa la 6.ª cuerda en el traste 3.º y el anular pisa la 1.ª cuerda en el traste 3.º.

Sol 7.ª (G 7)

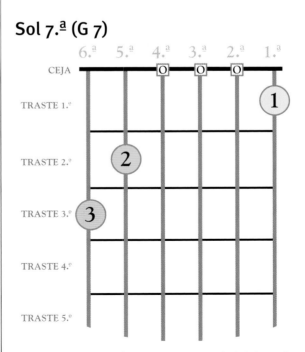

El dedo índice pisa la 1.ª cuerda en el traste 1.º, el dedo medio pisa la 5.ª cuerda en el 2.º traste y el anular pisa la 6.ª cuerda en el traste 3.º.

Sol menor (G minor)

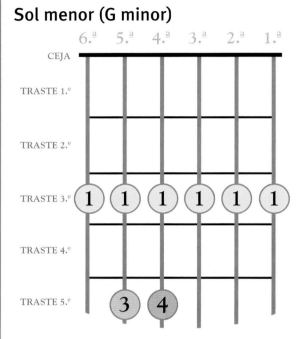

Con el dedo índice se pisan simultáneamente las seis cuerdas sobre el traste 3.º, mientras que el dedo anular pisa la 5.ª cuerda en el 5.º traste y el meñique pisa la 4.ª cuerda también en el 5.º traste.

Sol bemol mayor 7.ª (G flat major 7)

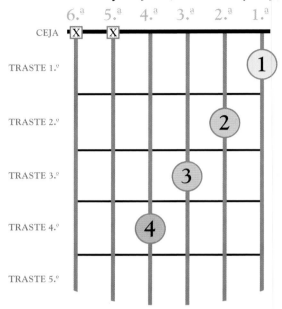

El dedo índice pisa la 1.ª cuerda en el traste 1.º, el dedo medio pisa la 2.ª cuerda en el traste 2.º, el dedo anular pisa la 3.ª cuerda en el traste 3.º y el meñique pisa la 4.ª cuerda en el traste 4.º.

Sol mayor 7.ª (G major 7)

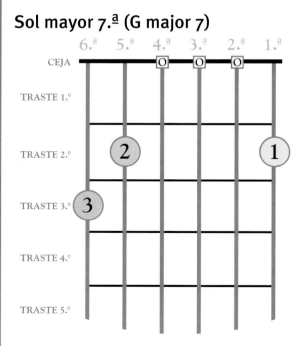

El dedo índice pisa la 1.ª cuerda en el 2.º traste, el dedo medio pisa la 5.ª cuerda en el 2.º traste y el anular la 6.ª cuerda en el traste 3.º.

Sol menor 7.ª (G minor 7)

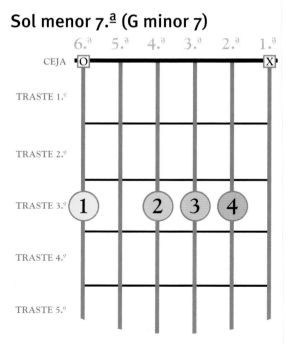

Con el dedo índice se pisa la 6.ª cuerda en el traste 3.º, el dedo medio pisa la 4.ª cuerda en el traste 3.º, el dedo anular pisa la 3.ª cuerda en el traste 3.º y el meñique pisa la 2.ª cuerda también sobre el traste 3.º.

ÍNDICE

CRÉDITOS MUSICALES

All Along the Watchtower
Letra y música de Bob Dylan. © 1968 Dwarf Music, EE.UU. B. Feldman and Co. Ltd., Londres WC2hoQY. Reproducido con permiso de International Music Publications Ltd. Todos los derechos reservados.

All Day and All of the Night
Escrita y compuesta por Ray Davies. © 1964 de Edward Kassner Music Co. Ltd. Copyright renovado. Todos los derechos administrados por Sony/ATV Music Publishing, 8 Music Square West, Nashville, Tennessee 327203. International Copyright Secured. Todos los derechos reservados.

Black Night
Letra y música de Jon Lord, Ritchie Blackmore, Ian Gillan, Roger Glover y Ian Paice. © 1970 B. Feldman and Co. Ltd comercializado como Hec Music, Londres WC2H oQY. Reproducido con permiso de International Music Publications Ltd. Todos los derechos para Estados Unidos y Canadá controlados y administrados por Glenwood Music Corp. Para Australia y Nueva Zelanda: EMI Music Publishing Australia Pty Limited (ABN 83 000 040 951) PO Box 481, Spit Junction, NSW 2088, Australia. International Copyright Secured. Todos los derechos reservados. Utilizado con permiso.

Bohemian Rhapsody
Letra y música de Freddie Mercury. © 1975 (renovado en 2003). B. Feldman and Co. Ltd. comercializado como Trident Music Ltd., Londres WC2H oQY. Todos los derechos controlados y administrados por Glenwood Music Corp. Reproducido con permiso de International Music Publications Ltd. Todos los derechos reservados.

Brown Sugar
Escrita por Mick Jagger, Keith Richards. Publicada por ABKCO Music, Inc.

Cross Road Blues (Crossroads)
Letra y música de Robert Johnson. Copyright © (1978), 1990, 1991 Lehsem II, LLC y Claud L. Johnson. Administrado por Music and Media International, Inc. International Copyright Secured. Todos los derechos reservados.

Dark Star
Letra y música de Jerry Garcia y Robert Hunter. © 1968 Ice Nine Publishing Co Inc, EE.UU. Warner/Chappell North America Ltd., Londres W6 8BS. Reproducido con permiso de International Music Publications Ltd. Todos los derechos reservados.

Get It On
Letra y música de Marc Bolan. © 1971 Westminster Music Limited of Suite 1.07, Plaza 535 Kings Road, Londres SW10 oSZ. International Copyright Secured. Todos los derechos reservados. Utilizado con permiso.

Heartbreak Hotel
Letra y música de Mae Boren Axton, Tommy Durden y Elvis Presley. Copyright © 1956 Sony/ATV Songs LLC. Copyright renovado. Todos los derechos administrados por Sony/ATV Music Publishing, 8 Music Square West, Nashville (Tennessee) 37203. International Copyright Secured. Todos los derechos reservados.

Heartbreaker
Letra y música de Jimmy Page, Robert Plant, John Paul Jones y John Bonham. © 1969 (renovado) Flames Of Albion Music Inc. EE.UU. Warner/Chappell Music Ltd., Londres W6 8BS. Reproducido con permiso de International Music Publications Ltd. Todos los derechos reservados.

Hey Joe
Letra y música de Billy Roberts. © 1962 Third Story Music Inc., EE.UU. Carlin Music Corp., Londres NW1 8BD para territorios PRS únicamente. Reproducido con permiso de International Music Publications Ltd. Todos los derechos reservados.

I Ain't Superstitious
Letra y música de Willie Dixon. © Copyright 1963 Arc Music Corporation, EE.UU. Tristan Music Limited. Utilizado con permiso de Music Sales Limited. Todos los derechos reservados. International Copyright Secured.

(I Can't Get No) Satisfaction
Escrita por Mick Jagger, Keith Richards. Publicada por ABKCO Music, Inc.

I've Found a New Baby
Letra de Spencer Williams. Música de Jack Palmer. © 1926 Clarence Williams Music Publishing Co. Inc. y Pickwick Music Corp., EE.UU. (50%) B. Feldman y Co. Ltd., Londres WC2H oQY (50%). Redwood Music Ltd., Londres NW1 8BD para las naciones de la Commonwealth, Alemania, Austria, Suiza, Sudáfrica y España. Reproducido con permiso de International Music Publications Ltd. Todos los derechos reservados.

Iron Man
Letra y música de Terence Butler, John Osbourne, Tony Iommi y William Ward. © 1969 Westminster Music Limited of Suite 2.07, Plaza 535 Kings Road, Londres SW10 oSZ.

Jessica
Letra y música de Forrest Richard Betts, © 1973 (renovado) Unichappell Music Inc. y Forrest Richard Betts Music, EE.UU. Warner/Chappell North America, Ltd. Londres W6 8BS. Reproducido con permiso de International Music Publications Ltd. Todos los derechos reservados.

Jumping Jack Flash
Escrita por Mick Jagger, Keith Richards. Publicada por ABKCO Music, Inc.

Kashmir
Letra y música de Jimmy Page, Robert Plant y John Bonham. © 1975 Flames Of Albion Music, Inc. EE.UU. Warner/Chappell Music Ltd. Londres W6 8BS, Reproducido con permiso de International Music Publications Ltd. Todos los derechos reservados.

Layla
Letra y música de Eric Clapton y Jim Gordon. © Copyright 1970,1998 y 2005 de Eric Clapton y Throat Music Ltd. Utilizado con permiso de Music Sales Limited e International Music Publications Ltd. Todos los derechos reservados. International Copyright Secured.

Le Freak
Letra y música de Bernard Edwards y Nile Rodgers. © Copyright 1979 Bernard's Other Music/Sony/ATV Songs LLC, EE.UU. Warner/Chappell Music Limited (50%)/ Sony/ATV Music Publishing Limited (Reino Unido) (50%). Todos los derechos en nombre de Sony/ATV Songs LLC. administrados por Sony/ATV Music Publishing, 8 Music Square West, Nashville (Tennessee) 37203. Utilizado con permiso de Music Sales Limited e International Music Publications Ltd. Todos los derechos reservados. International Copyright Secured.

Live and Let Die
Letra y música de Paul McCartney y Linda McCartney. © Copyright 1973 MPL Communications Limited (75%)/ EMI United Partnership Limited. Los derechos de impresión en el mundo están controlados por Alfred Publishing/IMP Limited (25%). Utilizado con permiso de Music Sales Limited e International Music Publications Ltd. Todos los derechos reservados. International Copyright Secured.

Me and the Devil Blues
Letra y música de Robert Johnson. Copyright © (1978), 1990, 1991 Lehsem II, LLC y Claud L. Johnson. Administrado por Music and Media International, Inc. International Copyright Secured. Todos los derechos reservados.

Money
Letra y música de George Roger Waters. © 1973 Roger Waters Music Overseas, Ltd. Warner/Chappell Artemis Music, Ltd., Londres W6 8BS. Reproducido con permiso de International Music Publications Ltd. Todos los derechos reservados.

Mr. Bojangles
Letra y música de Jerry Jeff Walker. © 1968 (renovado) Cotillion Music Inc. y Mijac Music Inc., EE.UU. Warner/Chappell North America Ltd. Londres W6 8BS. Reproducido con permiso de International Music Publications Ltd. Todos los derechos reservados.

Mystery Train
Letra y música de Sam C. Phillips y Herman Parker Jr. © 1955 (renovado). Hi-Lo Music y Mijac Music, EE.UU. Carlin Music Corp. Londres NW1 8BD para las naciones de la Commonwealth (excluido Canadá y Australasia) Eire e Israel. Warner/Chappell North America Ltd. Londres W6 8BS para el resto del mundo. Reproducido con permiso de International Music Publications Ltd. Todos los derechos reservados.

Nuages
Música de Django Reinhardt y Jacques Larue. © 1980 Peter Maurice Music Ltd. Todos los derechos para EE.UU. y Canadá controlados y administrados por Colgems-EMI Music Inc. Todos los derechos reservados. International Copyright Secured. Utilizado con permiso.

Paranoid
Letra y música de Terence Butler, John Osbourne, Tony Iommi y William Ward. © 1969 Westminster Music Limited of Suite 2.07, Plaza 535 Kings Road, Londres SW10 oSZ.

Phase Dance
Música de Pat Metheny y Lyle Mays. © Copyright 1978 Pat Meth Music Corporation y Lyle Mays Music, EE.UU. BMG Music Publishing Limited. Utilizado con permiso de Music Sales Limited. Todos los derechos reservados. International Copyright Secured.

Pinball Wizard
Letra y música de Pete Townshend. Copyright © 1969 de Towser Tunes, Inc., ABKCO Music y Fabulous Music Ltd. Copyright renovado. Todos los derechos para Towser Tunes, Inc. administrados por BMG Music Publishing International. Todos los derechos para BMG Music Publishing International en EE.UU. administrados por Careers-BMG Music Publishing, división de BMG Music Publishing NA, Inc. International Copyright Secured. Todos los derechos reservados.

Pride and Joy
Escrita por Stevie Ray Vaughan. © 1985, Ray Vaughan Music (ASCAP)/Administrado por Bug Music. Todos los derechos reservados. Utilizado con permiso.

Purple Rain
Letra y música de Prince. © Copyright 1984 Controversy Music, EE.UU. Todos los derechos controlados y administrados por Universal Music Corp. Universal/MCA Music Limited. Utilizado con permiso de Music Sales Limited. Todos los derechos reservados. International Copyright Secured.

Rebel Rebel
Letra y música de David Bowie. © Copyright 1974 Jones Music America/RZO Music Limited (37, 5%)/ Moth Music, Bewlay Brothers Music y EMI Music Publishing Ltd. (37, 5%)/ Chrysalis Music Limited (25%). Utilizado con permiso de Music Sales Limited e International Music Publications Ltd. © 1974 Mainman Saag Ltd. para Australia y Nueva Zelanda: EMI Music Publishing Australia Pty Limited (ABN 83 000 040 951) PO Box 481, Spit Junction, NSW 2088 (Australia). Todos los derechos para EMI Music Publishing Ltd. controlados y administrados por Colgems-EMI Music Inc. Todos los derechos para Jones Music America administrados por Arzo Publishing. Todos los derechos para Moth Music administrados por Chrysalis Songs. International Copyright Secured. Todos los derechos reservados. Utilizado con permiso.

Ride a White Swan
Letra y música de Marc Bolan. © 1970 Westminster Music Limited of Suite, 1.07, Plaza 535 Kings Road, Londres SW10 oSZ. International Copyright Secured. Todos los derechos reservados. Utilizado con permiso.

River Man
Escrita por Nick Drake. © 1969 Warlock Music Ltd.

Scuttle Buttin'
Escrita por Stevie Ray Vaughan. © 1984 Ray Vaughan Music (ASCAP)/administrado por Bug Music. Todos los derechos reservados. Utilizado con permiso.

Seven Nation Army
Letra y música de Jack White. © 2002 Peppermint Stripe Music (BMI), EE.UU. EMI Music Publishing Ltd. Londres WC2H oQY. Reproducido con permiso de International Music Publications Ltd. Todos los derechos reservados. Utilizado con permiso.

She's not There
Letra y música de Rod Argent. © 1964 Marquis Music Co. Ltd., 1 Wyndham Yard, Londres W1H 2QF. Utilizado con permiso.

Since You've Been Gone
Letra y música de Russ Ballard (Complete Music Ltd.) © 1978 Complete Music Ltd. Impreso con permiso de Complete Music Ltd.

Smells Like Teen Spirit
Letra y música de Kart Cobain, Krist Novoselic y Dave Grohl. © 1991 EMI Virgin Songs, Inc., The End of Music, M. J. Twelve Music y Murky Slough Music. Todos los derechos controlados y administrados por EMI Virgin Songs, Inc. Todos los derechos reservados. International Copyright Secured. Utilizado con permiso.

Smoke on the Water
Letra y música de Jon Lord, Ritchie Blackmore, Ian Gillan, Roger Glover e Ian Paice. © 1972 B. Feldman y Co. Ltd. comercializado como Hec Music, Londres WC2H oQY. Todos los derechos para EE.UU. y Canadá controlados y administrados por Glenwood Music Corp. Para Australia y Nueva Zelanda: EMI Music Publishing Australia Pty Limited (ABN 83 000 040 951) PO Box 481, Spit Junction, NSW 2088 (Australia). International Copyright Secured. Todos los derechos reservados. Utilizado con permiso.

Smooth
Letra y música de Itaal Shur y Robert Thomas. © 1999 Itaal Shur Music y Bidnis Inc., EE.UU. (60%). Warner/Chappell Music Ltd., Londres W6 8BS (40%) EMI Music Publishing Ltd, Londres WC2H oQY. © 1999 EMI Blackwood Music, Inc., Bidnis, Inc. e Itaal Shur Music. Todos los derechos para Bidnis, Inc. controlados y administrados por EMI Blackwood Music, Inc. Reproducido con permiso de International Music Publications Ltd. Todos los derechos reservados. International Copyright Secured. Utilizado con permiso.

St. Stephen
Letra y música de Robert Hunter, Jerry Garcia y Phil Lesh. © 1968 Ice Nine Publishing Co. Inc., EE.UU. Warner/Chappell North America Ltd., Londres W6 8BS. Reproducido con permiso de International Music Publications Ltd. Todos los derechos reservados.

Stairway To Heaven
Letra y música de Jimmy Page y Robert Plant. © 1972 Superhype Music Inc., EE.UU. Warner/Chappell Music Ltd., Londres W6 8BS. Reproducido con permiso de International Music Publications Ltd. Todos los derechos reservados.

Start Me Up
Letra y música de Mick Jagger y Keith Richards. © 1978 Promopub BV (Holanda). EMI Music Publishing Ltd. Londres WC2H oQY. Reproducido con permiso de International Music Publications Ltd. Todos los derechos reservados.

Stormy Monday Blues
Letra y música de Aaron «T-Bone» Walker. Copyright © 1947; Renovado en 1975 por Gregmark Music, Inc. (BMI) Los derechos en todo el mundo a excepción de los territorios británicos de reversión, pero incluyendo a Canadá por Gregmark Music, Inc. son administrados por Cherry River Music Co. Todos los derechos reservados. International Copyright Secured.

Sunshine Of Your Love
Letra y música de Jack Bruce, Pete Brown y Eric Clapton. © Copyright 1967 y 1996 Eric Clapton (33,33%)/ Warner/Chappell Music Limited (66,67%). Copyright © 1968, 1973 por Dratleaf Ltd. Copyright renovado. Todos los derechos administrados por Unichappell Music Inc. Utilizado con permiso de Music Sales Limited e International Music Publications Ltd. Todos los derechos reservados. International Copyright Secured.

Sweet Baby James
Letra y música de James Taylor. © 1970 (renovado en 1998) EMI Blackwood Music Inc. y Country Road Music Inc. Todos los derechos controlados y administrados por EMI Blackwood Music Inc. Todos los derechos reservados. International Copyright Secured. Utilizado con permiso.

Sweet Little Angel
Letra y música de B.B. King y Jules Bihari. Copyright © 1956 de Careers-BMG Music Publishing, division de BMG Music Publishing NA, Inc. Copyright renovado. International Copyright Secured. Todos los derechos reservados.

Sweet Sixteen
Letra y música de B.B. King y Joe Bihari. Copyright © 1967 de Careers-BMG Music Publishing, division de BMG Music Publishing NA, Inc. Copyright renovado. International Copyright Secured. Todos los derechos reservados.

The Three O'Clock Blues
Letra y música de B.B. King y Jules Bihari. Copyright © 1952 de Careers-BMG Music Publishing, division de BMG Music Publishing NA, Inc. Copyright renovado. International Copyright Secured. Todos los derechos reservados.

Tie Your Mother Down
Letra y música de Brian May. © 1976 Queen Music Ltd. Londres WC2H oQY. Todos los derechos para EE.UU. y Canadá controlados y administrados por Beechwood Music Corp. Todos los derechos universales, a excepción de EE.UU. y Canadá controlados y administrados por EMI Music Publishing Ltd. Reproducido con permiso de International Music Publications Ltd. Todos los derechos reservados.

Time
Letra y música de George Roger Waters, David Gilmour, Nicholas Mason y Richard Wright. © 1973 Roger Waters Music Overseas Ltd. y Pink Floyd Music Publishers Ltd (25%) Warner/Chappell Artemis Music, Ltd. Londres W6 8BS. Reproducido con permiso de International Music Publications Ltd. Todos los derechos reservados.

Tired of Waiting For You
Escrita y compuesta por Ray Davies. © 1964 de Edward Kassner Music Co. Ltd. Copyright © 1964 Jayboy Music Corp. Copyright renovado. Todos los derechos administrados por Sony/ATV Music Publishing, 8 Music Square West, Nashville (Tennessee) 37203. International Copyright Secured. Todos los derechos reservados.

Travels
Letra y música de Pat Metheny y Lyle Mays. © Copyright BMG Music Publishing Limited. Utilizado con permiso de Music Sales Limited. Todos los derechos reservados. International Copyright Secured.

We Will Rock You
Letra y música de Brian May. © 1977 Queen Music Ltd., Londres WC2H oQY. Todos los derechos para EE.UU. y Canadá controlados y administrados por Beechwood Music Corp. Todos los derechos para el mundo a excepción de EE.UU. y Canadá controlados y administrados por EMI Music Publishing Ltd. Reproducido con permiso de International Music Publications Ltd. Todos los derechos reservados.

Where Were You?
Letra y música de Jeff Beck, Terry Bozzio y Tony Hymas. © 1989 BHB Music Ltd., EE.UU. Warner/Chappell North America Ltd., Londres W6 8BS. Reproducido con permiso de International Music Publications Ltd. Todos los derechos reservados

Who do You Love
Letra y música de Ellas McDaniel. © Copyright 1956 (renovado), 1991 Arc Music Corporation (BMI). Tristan Music Limited. Utilizado con permiso de Music Sales Limited. Todos los derechos reservados. International Copyright Secured.

Whole Lotta Love
Letra y música de Jimmy Page, Robert Plant, John Bonham, John Paul Jones y Willie Dixon. © 1970 Flames of Albion Music Inc. EE.UU. Warner/Chappell Music Ltd., Londres W6 8BS. Reproducido con permiso de International Music Publications Ltd. Todos los derechos reservados.

Wildwood Flower
Letra y música de A.P. Carter. © Copyright 1935 Peer International Corporation, EE.UU. Peermusic Limited (Reino Unido). Copyright renovado. Utilizado con permiso de Music Sales Limited. Todos los derechos reservados. International Copyright Secured.

Wish You Were Here
Letra y música de George Roger Waters y David Gilmour. © 1975 Roger Waters Music Overseas Ltd. y Pink Floyd Publishers Ltd. (50%) Warner/Chappell Artemis Music Ltd., Londres W6 8BS. Reproducido con permiso de International Music Publications Ltd. Todos los derechos reservados.

The Yellow Princess
Letra y música de John Fahey. © 1966 Terrapin Music. Carlin Music Corp. Londres NW1 8BD para naciones de la Commonwealth (excluidos Canadá/Australasia) y Eire.

You Really Got Me
Escrita y compuesta por Ray Davies. © 1964 de Edward Kassner Music Co. Ltd. Copyright © 1964 Jayboy Music Corp. Copyright renovado. Todos los derechos administrados por Sony/ATV Music Publishing, 8 Music Square West, Nashville (Tennessee) 37203. International Copyright Secured. Todos los derechos reservados.

You've Got a Friend
Letra y música de Carole King. © 1971 (renovado en 1999) Colgems-EMI Music Ind. Todos los derechos reservados. International Copyright Secured. Utilizado con permiso.

Ziggy Stardust
Letra y música de David Bowie. © Copyright 1972 Tintoretto Music/RZO Music Ltd. (37,5%)/ Moth Music, EMI Music Publishing Ltd. (37,5%)/ Chrysalis Music Ltd. (25%). Utilizado con permiso de Music Sales Limited e International Music Publicaciones Ltd. Todos los derechos reservados. International Copyright Secured. © 1972 Mainman Saag Ltd para Australia y Nueva Zelanda: EMI Music Publishing Australia Pty Limited (ABN 83 000 040 951) PO Box 481, Spit Junction, NSW 2088 (Australia). Todos los derechos para EMI Music Publishing Ltd. controlados y administrados por Screen Gems-EMI Music Inc. Todos los derechos para Tintoretto Music administrados por RZO Music. Todos los derechos para Moth Music administrados por Chrysalis Songs. International Copyright Secured. Todos los derechos reservados. Utilizado con permiso.

CRÉDITOS FOTOGRÁFICOS

Todas las fotografías pertenecen a © Amber Books Ltd.

Dorling Kindersley: 46 (superior Dave King)

Fender Europe: 7 (izquierda)

Getty Images: 13 (Frank Micelotta), 124 (Keystone Features / Archivo Hulton), 132 (Frank Micelotta), 148 (Sebastian Artz), 164 (Sebastian Artz), 180 (Miguel Rojo / AFP), 191 (Frank Driggs), 199 (Frank Driggs), 229 (Eric Schaal / Time & Life Pictures)

Guitar Traders: 70 (cortesía de Naoki Washida)
Keith Morris: 233, 239, 240

Redferns: 8 (David Redfern), 9 (Michael Ochs), 10 (Ian Dickson), 11 (David Redfern), 12 (Richard Ecclestone), 15-16 (Michael Ochs), 19 (Don Paulsen), 20 (Bernd Muller), 22 (David Redfern), 24 (Bob King), 26 (Paul Bergen), 32 (Ebet Roberts), 34 (David Redfern), 37 (David Redfern), 38 (K & K Ulf Kruger), 40 (Robert Knight), 43 (Richard E. Aaron), 44 (Ian Dickson), 46 (inferior: Grant Davis), 48 (Richard E. Aaron), 53 (GEMS), 54 (Michael Ochs), 57 (Mick Hutson), 58 (David Redfern), 61 (Ebet Roberts), 62 (Michael Ochs), 67 (David Redfern), 68 (Mick Hutson), 73 (Ron Howard), 79 (Fotex Agentur), 80 (Robert Knight), 82 (Jim McCary), 85 (David Redfern), 86 (Paul Reed Smith), 88 (inferior: David Redfern), 91 (Ebet Roberts), 92 (Fin Costello), 94 (Andrew Lepley), 99 (Richard E. Aaron), 100 (Fin Costello) 102 (Ebet Roberts), 105 (Harry Goodwin), 106 (Ian Dickson), 108 (Colin Fuller), 111 (Alain Dister), 112 (Richard Ecclestone), 114 (Richard Ecclestone), 116 (Ebet Roberts), 119 (Phil Dent), 120 (Geoff Dann), 122 (Bob King), 127-128 (Ebet Roberts), 131 (Richard E. Aaron), 135-136 (Mick Hutson), 139 (Peter Pakvis), 140 (Ebet Roberts), 143 (Tabatha Fireman), 144 (Paul Reed Smith), 146 (Michael Ochs), 147 (Deltahaze Corporation), 149-150 (David Redfern), 151 (Chuck Stewart), 153-154 (Deltahaze Corporation), 156 (Leon Morris), 159 (Jan Persson), 160 (Michael Ochs), 163 (Mick Hutson), 166 (Michael Ochs), 168 (David Redfern), 171-173 (David Redfern), 175 (Ebet Roberts), 176 (Richard E. Aaron), 178 (Don Paulsen), 183 (Ebet Roberts), 184 (Robert Knight), 186 (David Redfern), 188 (Michael Ochs), 192 (Bob Willoughby), 195 (Michael Ochs), 196 (Paul Reed Smith), 200 (William Gottlieb), 203 (Mick Hutson), 204 (Bob Willoughby), 206 (Robert Knight), 208-211 (Michael Ochs), 212 (Geoff Dann), 215 (Michael Ochs), 216 (Geoff Dann), 219 (Michael Ochs), 220 (Paul Reed Smith), 223-224 (Michael Ochs), 226 (Michael Ochs), 230 (Michael Ochs), 235 (Ebet Roberts), 236 (Michael Ochs)

Rex Features: 29 (Andre Csillag), 30 (Alan Messer), 64 (Andre Csillag), 74 (Alan Messer), 76 (London Weekend Television), 96 (Andre Csillag).